5 학년이 꼭 알아야 할

사고력 연산

저자

왕수학연구소장 **박명전**

- 기초 연산 능력 증진
- 사고를 통한 연산 능력 증진
- 사고력과 연산 능력 향상의 이중 효과

www.왕수학.com

5학년이 꼭 알아야 할 사고력연산

사고력연산 구성

- 1~2학년은 각각 1권씩, 3~6학년은 각각 2권씩으로 구성되어 있습니다.
- 개념 연산의 기초개념과 원리를 다루었습니다.
- 사고력 기르기 Step 1 약간의 사고를 필요로 하는 연산 문제를 다루었습니다.
- 사고력 기르기 Step 2 좀 더 발전적인 사고를 필요로 하는 연산 문제를 다루었습니다.
- 실력 점검 한 단원을 마무리하는 문제를 다루었습니다.

사고력연산 특징

- 연산의 원리를 알고 계산할 수 있도록 구성하였습니다.
- 기초 연산 능력을 충분히 키울 수 있도록 구성하였습니다.
- 연산 능력과 사고력 향상이 동시에 이루어질 수 있는 문제를 다루었습니다.
- 사고를 통해 연산을 하는 과정에서 연산 능력이 저절로 향상될 수 있도록 구성하였습니다.

Contents

사고력연산

5학년

01 덧셈과 뺄셈, 곱셈과 나눗셈이 섞여 있는 식의 계산

개념

1. 덧셈과 뺄셈이 섞여 있는 식의 계산

- 덧셈과 뺄셈이 섞여 있는 식은 앞에서부터 차례로 계산합니다.
- (　　)가 있는 식은 (　　) 안을 먼저 계산합니다.

$35-15+10=30$ (20, 30)

$35-(15+10)=10$ (25, 10)

2. 곱셈과 나눗셈이 섞여 있는 식의 계산

- 곱셈과 나눗셈이 섞여 있는 식은 앞에서부터 차례로 계산합니다.
- (　　)가 있는 식은 (　　) 안을 먼저 계산합니다.

$54\div3\times6=108$ (18, 108)

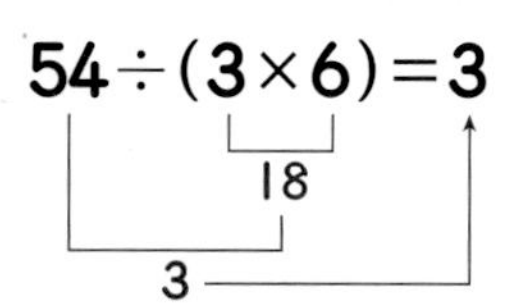

$54\div(3\times6)=3$ (18, 3)

□ 안에 알맞은 수를 써넣으시오. (01~06)

01 $67+21-18$

$=\square-18$

$=\square$

02 $4\times9\div2$

$=\square\div2$

$=\square$

03 $45-27+20$

$=\square+20$

$=\square$

04 $84\div7\times3$

$=\square\times3$

$=\square$

05 $60-(35-15)+4$

$=60-\square+4$

$=\square+4$

$=\square$

06 $120\div12\times(15\div3)$

$=120\div12\times\square$

$=\square\times\square$

$=\square$

□ 안에 알맞은 수를 써넣으시오. (07~12)

07 $60+18-21=\square$

08 $8\times6\div3=\square$

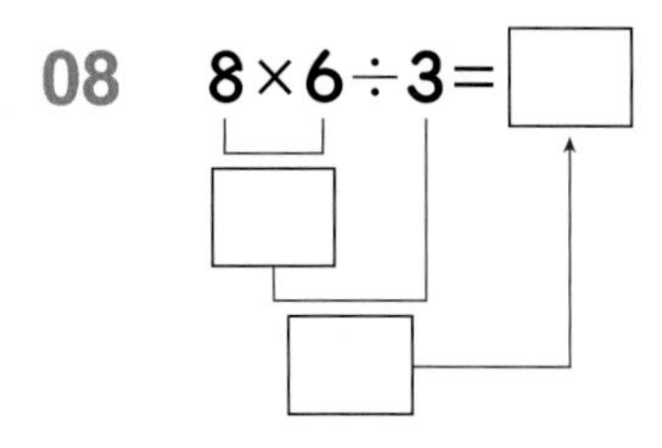

09 $65-27+12=\square$

10 $117\div9\times2=\square$

11 $50-(25+11)+3=\square$

12 $32\times(16\div8)\div4=\square$

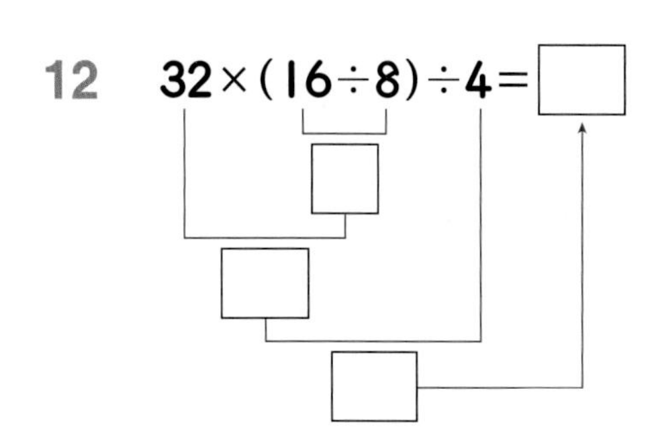

계산을 하시오. (13~20)

13 $72+15-32$

14 $11\times4\div2$

15 $69-52+18$

16 $96\div6\times3$

17 $28+(54-17)$

18 $15\times(25\div5)$

19 $47-(25+13)+12$

20 $81\div(3\times3)\times4$

사고력 기르기

Step 1

식이 성립하도록 알맞은 곳에 (　　) 표시를 하시오. (01~02)

01 $50 - 20 + 5 = 25$

02 $40 \div 5 \times 4 = 2$

♥가 나타내는 수를 구하시오. (03~06)

03 $24 + ♥ - 14 = 40$ ➡ ♥= □

04 $63 - 29 + ♥ = 50$ ➡ ♥= □

05 $12 \times 8 \div ♥ = 24$ ➡ ♥= □

06 $42 \div ♥ \times 6 = 36$ ➡ ♥= □

□ 안에 들어갈 수 있는 자연수를 모두 구하시오. (07~10)

07 $28 + 45 - 32 > 5 \times □$ (　　　　　　　　)

08 $36 - 12 + 16 < 125 \div □$ (　　　　　　　　)

09 $10 \times 24 \div 8 < 36 - □$ (　　　　　　　　)

10 $120 \div 8 \times 2 > □ + 25$ (　　　　　　　　)

☆이 나타내는 수를 구하시오. (11~17)

11

♡$=24+30-14$　　$52=$♡$-11+$☆

☆$=$ □

12

♡$=9\times16\div4$　　$80=$♡$-10+$☆

☆$=$ □

13

♡$=25\div5\times8$　　$20=$♡$\times2\div$☆

☆$=$ □

14

$5\times10\div$♡$=25$　　☆$\times13\div$♡$=130$

☆$=$ □

15

$240\div$♡$\times3=90$　　♡$\times9\div$☆$=24$

☆$=$ □

16

$88\div$♡$\times4=32$　　$96\div$☆$\times$♡$=132$

☆$=$ □

17

♡$\times7\div5=126$　　$180\div$♡$\times23=$☆

☆$=$ □

사고력 기르기

Step 2

A♡B=A÷B×2로 약속할 때 다음을 구하시오. (01~04)

01

40♡(20♡5)

(　　　　　　　　　　)

02

96♡(64♡8)

(　　　　　　　　　　)

03

(72♡6)♡3

(　　　　　　　　　　)

04

(88♡4)♡2

(　　　　　　　　　　)

주어진 식에서 ☆이 나타내는 수를 구하시오. (05~09)

05

24−9+13−☆=18÷3×4 ➡ ☆=□

06

50+☆−35−12=56×4÷8 ➡ ☆=□

07

120÷6×☆÷7=27+15+8−10 ➡ ☆=□

08

21×☆÷12÷7=18÷6×24÷36 ➡ ☆=□

09

84÷6÷☆×9=11×3×12÷22 ➡ ☆=□

Step 2

주어진 수 카드를 빈칸에 모두 넣어 계산 결과가 자연수가 되는 여러 가지 경우를 구하시오. (단, 첫 번째 빈칸에 넣는 수는 두 번째 빈칸에 넣는 수보다 크고, 네 번째 빈칸에 넣는 수는 세 번째 빈칸에 넣는 수보다 커야 합니다.) (10~11)

10

11

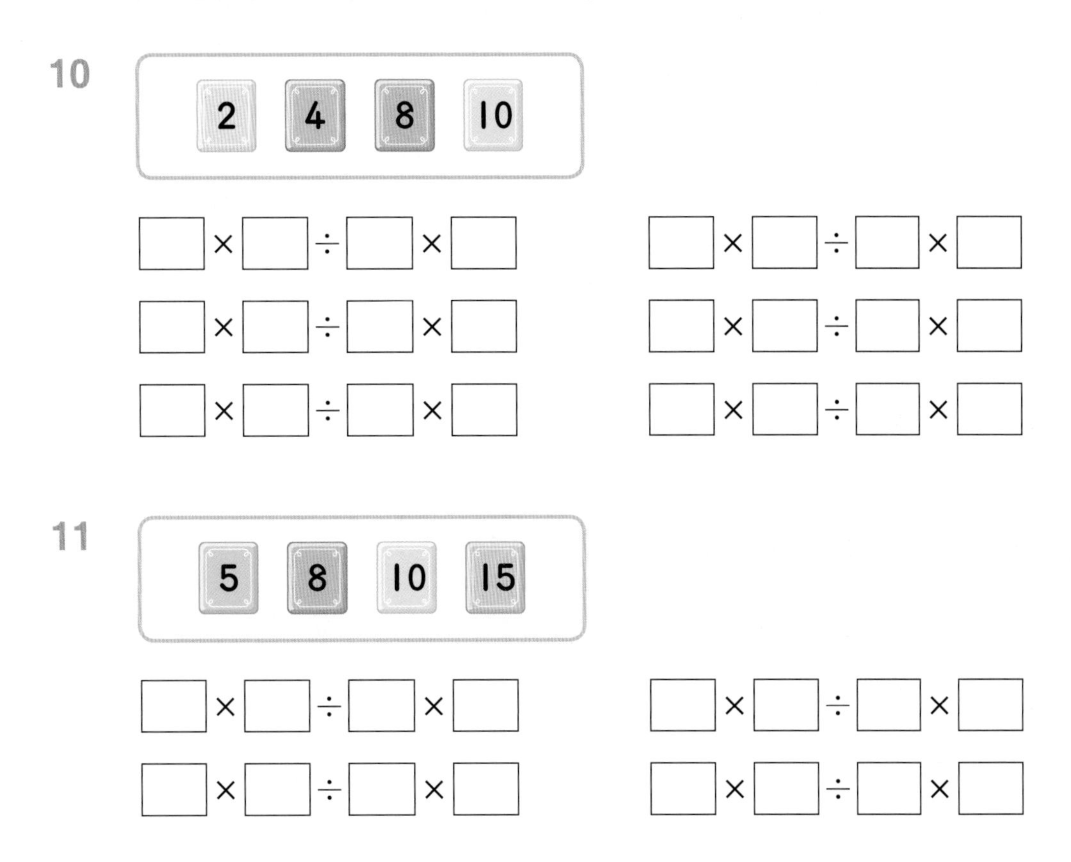

12 주어진 식에서 ♡, ☆, △는 각각 20보다 작은 자연수이며, ♡>☆>△입니다. 조건을 만족하는 여러 가지 식을 만들어 보시오. (단, ♡÷☆은 몫이 자연수로 나누어 떨어집니다.)

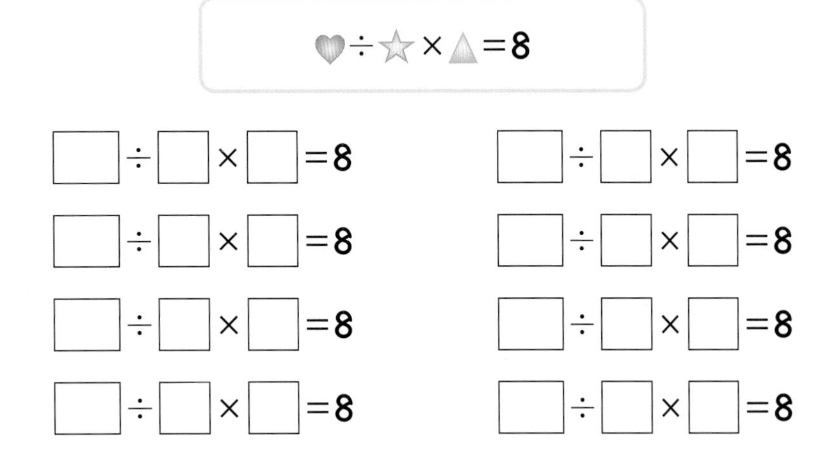

실력 점검

□ 안에 알맞은 수를 써넣으시오. (01~06)

01 $15+18-11=\square$

02 $8\times9\div4=\square$

03 $85-27+19=\square$

04 $144\div12\times4=\square$

05 $68-(15+20)=\square$

06 $4\times(20\div5)\times2=\square$

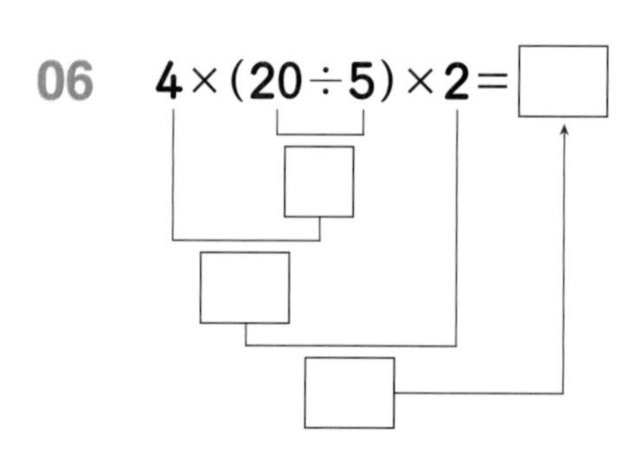

계산을 하시오. (07~14)

07 $18+27-12$

08 $13\times4\div2$

09 $72-57+15$

10 $65\div5\times3$

11 $37+(64-27)$

12 $12\times(15\div5)$

13 $60-(15+25)-7$

14 $72\div(4\times3)\times5$

식이 성립하도록 알맞은 곳에 (   ) 표시를 하시오. (15~16)

15 $65 - 12 + 23 = 30$

16 $90 \div 3 \times 5 = 6$

주어진 식에서 □ 안에 들어갈 수 있는 자연수를 모두 구하시오. (17~18)

17 $35+15-20>6\times\square$ (   )

18 $150\div5\times2>\square+56$ (   )

A♥B=B÷A×3으로 약속할 때 다음을 구하시오. (19~22)

19 (8♥24)♥18

(   )

20 2♥(4♥16)

(   )

21 (20♥40)♥42

(   )

22 3♥(11♥55)

(   )

주어진 식에서 ☆이 나타내는 수를 구하시오. (23~25)

23 ♥=4+6−3, ♥×8÷☆=14 (   )

24 15−7+8−☆=18÷6×4 (   )

25 64÷☆×3=18+9−3 (   )

02 덧셈, 뺄셈, 곱셈이 섞여 있는 식의 계산

개념

- 덧셈, 뺄셈, 곱셈이 섞여 있는 식은 곱셈을 먼저 계산합니다.
- ( )가 있는 식은 ( ) 안을 먼저 계산합니다.

$3+5\times7-12=26$ (35, 38, 26)

$(3+5)\times7-12=44$ (8, 56, 44)

□ 안에 알맞은 수를 써넣으시오. (01~08)

01 $18+4\times3-15$

$=18+\square-15$

$=\square-15$

$=\square$

02 $48-7\times6+11$

$=48-\square+11$

$=\square+11$

$=\square$

03 $(15-9)\times8+12$

$=\square\times8+12$

$=\square+12$

$=\square$

04 $15+(8-5)\times10$

$=15+\square\times10$

$=15+\square$

$=\square$

05 $19+11\times2-18=\square$

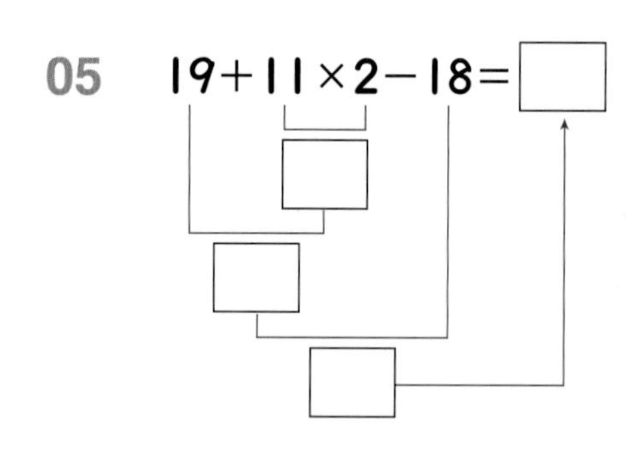

06 $4\times9-18+7=\square$

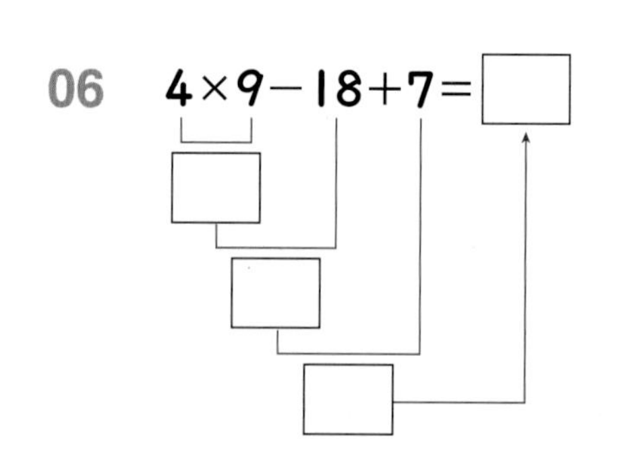

07 $(12-8)\times7+15=\square$

08 $50+(16-9)\times2=\square$

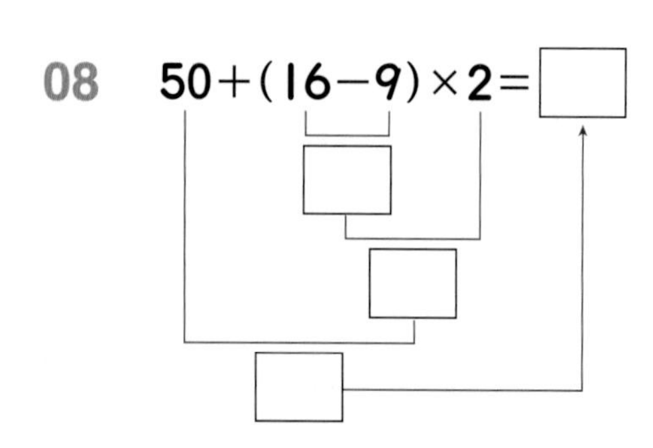

보기 와 같이 계산 순서를 나타내고 계산을 하시오. (09~12)

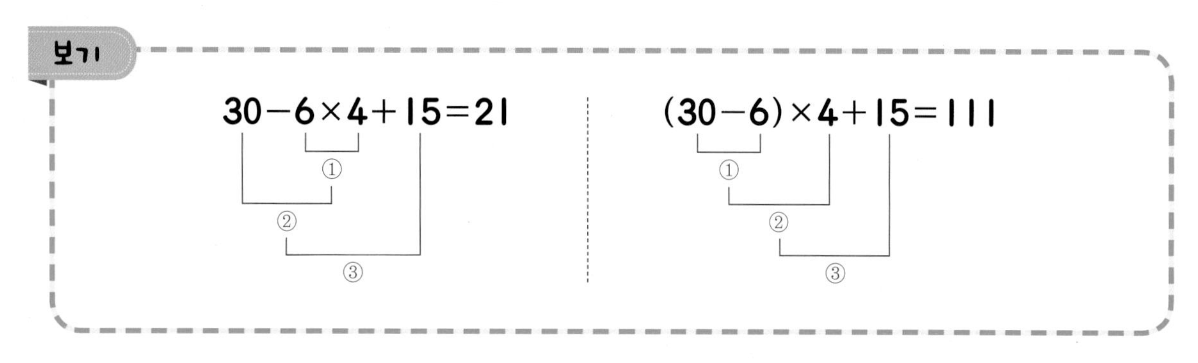

09 $18+12\times5-15$

10 $29-11\times2+18$

11 $14+(19-11)\times6$

12 $15\times(8-3)+10$

계산을 하시오. (13~20)

13 $62+7\times2-58$

14 $18+6\times4-21$

15 $82-12\times6+18$

16 $96-2\times17+7$

17 $15+(4-2)\times11$

18 $(27-15)\times4+14$

19 $(27+13)\times3-50$

20 $12\times(18-12)+13$

사고력 기르기

Step 1

식이 성립하도록 알맞은 곳에 (   ) 표시를 하시오. (01~02)

01

$$2 \times 48 - 18 + 30 = 90$$

02

$$24 + 60 \times 10 - 8 = 144$$

주어진 식에서 ☆이 나타내는 수를 구하시오. (03~05)

03

$$15+10\times\star-33=32$$

➡ ☆= □

04

$$\star-18\times4+20=48$$

➡ ☆= □

05

$$70-\star+12\times3=91$$

➡ ☆= □

주어진 식에서 ♡가 될 수 있는 자연수는 모두 몇 개인지 구하시오. (06~09)

06

$$8+9\times4-25<\heartsuit<20-3+5\times2$$

(   )

07

$$36\times2+8-45<\heartsuit<28-8\times3+41$$

(   )

08

$$17+11-9\times2<\heartsuit+5<14\times8-82+3$$

(   )

09

$$40-16\times2+9<\heartsuit-7<22+3\times9-27$$

(   )

주어진 식에서 ♡와 ☆이 나타내는 수를 각각 구하시오. (10~16)

10

$15+3\times7-♡=18$, $63-☆\times♡+20=29$

♡=□ ☆=□

11

$9\times11+♡-10=104$, $21+♡\times3-☆=50$

♡=□ ☆=□

12

$73-♡\times4+17=62$, $30+13-☆\times4=♡$

♡=□ ☆=□

13

$♡-19\times2+38=40$, $☆-15\times3+♡=53$

♡=□ ☆=□

14

$9\times9-31+♡=67$, $34-♡\times2+☆=29$

♡=□ ☆=□

15

$12\times8-♡+23=108$, $5\times☆+16-♡=115$

♡=□ ☆=□

16

$10\times♡-31+17=46$, $82-☆\times8+♡=8$

♡=□ ☆=□

사고력 기르기

A☆B=A+A×B−B로 약속할 때 다음을 구하시오. (01~04)

01

(2☆3)☆4

(　　　　　　　　)

02

(8☆6)☆9

(　　　　　　　　)

03

5☆(12☆8)

(　　　　　　　　)

04

12☆(7☆11)

(　　　　　　　　)

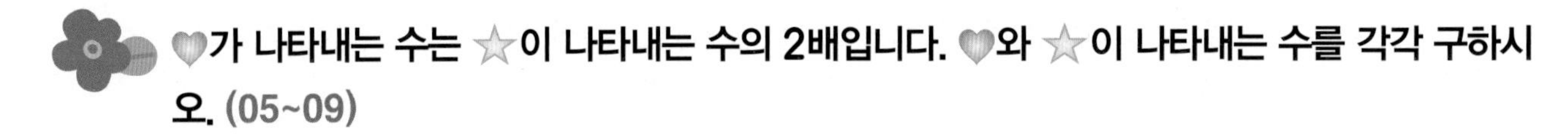

♡가 나타내는 수는 ☆이 나타내는 수의 2배입니다. ♡와 ☆이 나타내는 수를 각각 구하시오. (05~09)

05

2×5+♡−☆=13 ➡ ♡=□ ☆=□

06

12+♡×2−☆=27 ➡ ♡=□ ☆=□

07

10+5×♡−☆=46 ➡ ♡=□ ☆=□

08

♡−2×4+☆=19 ➡ ♡=□ ☆=□

09

♡×3−☆+16=56 ➡ ♡=□ ☆=□

주어진 식에서 ♥가 될 수 있는 자연수를 모두 구하시오. (10~12)

10 $58<5+14\times\heartsuit-3<128$ (　　　　　　)

11 $82<\heartsuit\times10-8+20<122$ (　　　　　　)

12 $37<90-\heartsuit\times7+17<86$ (　　　　　　)

주어진 4장의 숫자 카드를 □ 안에 모두 넣어 식을 완성하시오. (13~17)

13 [1] [2] [3] [6] ➡ $24-3\times\square+\square=\square\square$

14 [3] [4] [5] [6] ➡ $57+4\times\square-\square=\square\square$

15 [2] [5] [7] [8] ➡ $113-\square\times5+\square=\square\square$

16 [2] [3] [8] [9] ➡ $74+\square\times9-\square=\square\square$

17 [2] [3] [4] [8] ➡ $47-\square\times6+\square=\square\square$

실력 점검

보기 와 같이 계산 순서를 나타내고 계산을 하시오. (01~04)

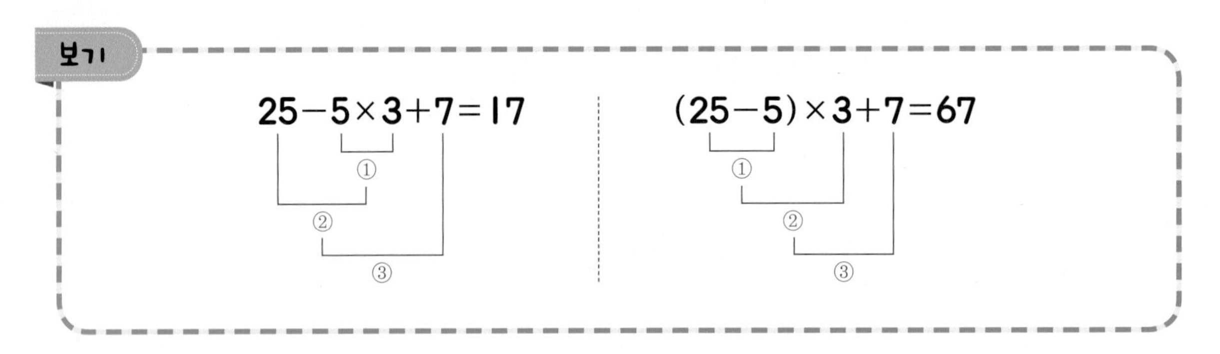

01 $12+5\times6-10$

02 $38-7\times3+5$

03 $9+(17-5)\times4$

04 $12\times(9-5)+12$

계산을 하시오. (05~12)

05 $28+5\times7-24$

06 $36+12\times4-50$

07 $68-6\times9+25$

08 $98-11\times4+15$

09 $18+(7-5)\times18$

10 $(36-15)\times5+12$

11 $(36+14)\times4-120$

12 $15\times(17-11)+14$

실력 점검

식이 성립하도록 알맞은 곳에 (　　) 표시를 하시오. (13~14)

13

$$4 \times 25 - 11 + 20 = 76$$

14

$$28 + 12 \times 15 - 9 = 100$$

주어진 식에서 ■가 될 수 있는 자연수는 모두 몇 개인지 구하시오. (15~16)

15

$4 \times 8 + 3 < ■ < 40 - 3 \times 4 + 11$ (　　　　　)

16

$11 + 17 - 3 \times 6 < ■ \times 2 < 7 \times 8 - 35 + 1$ (　　　　　)

A☆B＝A＋A×B－B로 약속할 때 다음을 구하시오. (17~20)

17 (3☆4)☆5

(　　　　　)

18 2☆(4☆5)

(　　　　　)

19 (8☆9)☆3

(　　　　　)

20 5☆(10☆3)

(　　　　　)

♡가 나타내는 수는 ☆이 나타내는 수의 2배입니다. ♡와 ☆이 나타내는 수를 각각 구하시오. (21~22)

21

2×4＋♡－☆＝13 ➡ ♡＝□ ☆＝□

22

♡－5×3＋☆＝30 ➡ ♡＝□ ☆＝□

03 덧셈, 뺄셈, 나눗셈이 섞여 있는 식의 계산

개념

- 덧셈, 뺄셈, 나눗셈이 섞여 있는 식은 나눗셈을 먼저 계산합니다.
- (   )가 있는 식은 (   ) 안을 먼저 계산합니다.

$8+30\div6-3=10$ (5, 13, 10)

$8+30\div(6-3)=18$ (3, 10, 18)

□ 안에 알맞은 수를 써넣으시오. (01~08)

01 $4+12\div6-5$
$=4+\square-5$
$=\square-5$
$=\square$

02 $25-18\div3+5$
$=25-\square+5$
$=\square+5$
$=\square$

03 $(32+3)\div5-4$
$=\square\div5-4$
$=\square-4$
$=\square$

04 $36\div(18-6)+12$
$=36\div\square+12$
$=\square+12$
$=\square$

05 $18+27\div3-6=\square$

06 $48-42\div7+10=\square$

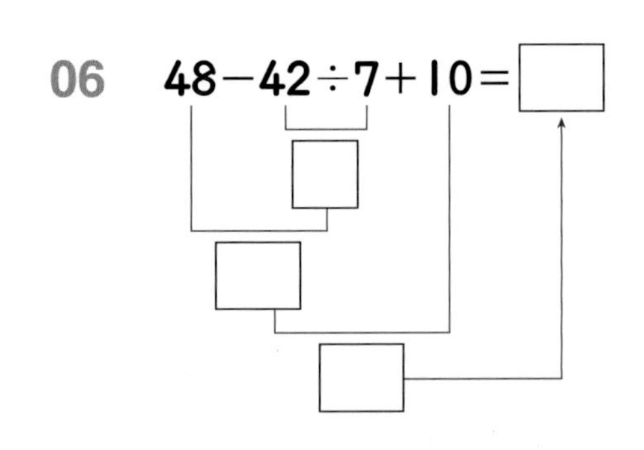

07 $40+(27-11)\div4=\square$

08 $20-68\div(15+19)=\square$

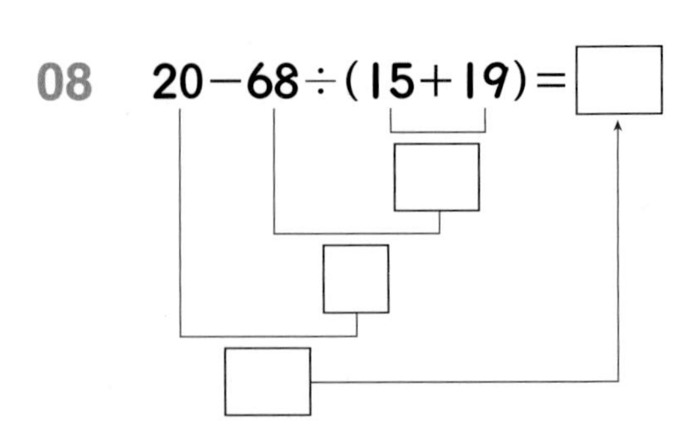

보기 와 같이 계산 순서를 나타내고 계산을 하시오. (09~12)

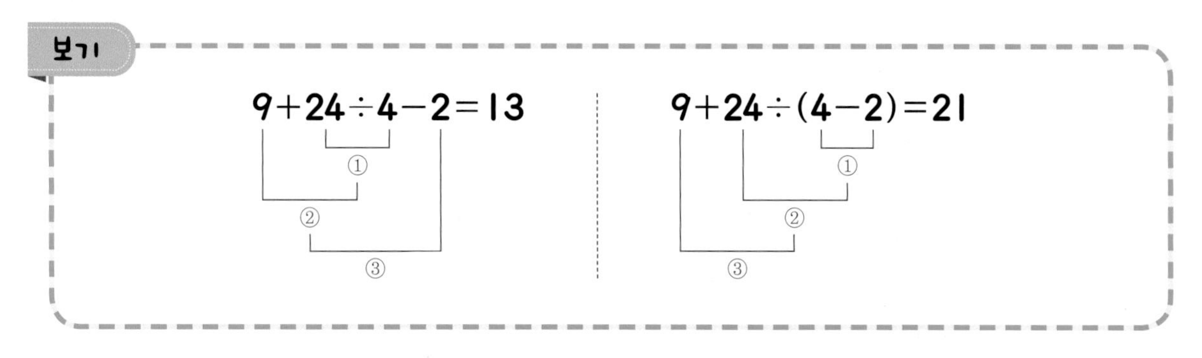

09 $12+60 \div 5-9$

10 $15-64 \div 8+3$

11 $30-45 \div (5+4)$

12 $(28-4) \div 6+16$

계산을 하시오. (13~20)

13 $16+18 \div 3-5$

14 $29+66 \div 11-17$

15 $28-49 \div 7+2$

16 $46-96 \div 12+11$

17 $20+(15-7) \div 4$

18 $(13+59) \div 6-3$

19 $38+(41-19) \div 11$

20 $42-(25+50) \div 5$

사고력 기르기

Step 1

식이 성립하도록 알맞은 곳에 (　　) 표시를 하시오. (01~02)

01

$$60 \div 4 + 6 - 2 = 4$$

02

$$28 - 16 \div 2 + 20 = 26$$

주어진 식에서 ♡가 나타내는 수를 구하시오. (03~07)

03

$20+\heartsuit\div5-8=18$ ➡ $\heartsuit=$ □

04

$48-28\div\heartsuit+12=56$ ➡ $\heartsuit=$ □

05

$17+52\div4-\heartsuit=10$ ➡ $\heartsuit=$ □

06

$60\div(\heartsuit+3)-3=1$ ➡ $\heartsuit=$ □

07

$72-\heartsuit\div(6+4)=67$ ➡ $\heartsuit=$ □

주어진 식에서 ☆이 될 수 있는 자연수를 모두 구하시오. (08~09)

08

$$83-33\div11+2<\star<80+90\div6-7$$

(　　　　　　　　　　　　　　　　　　　　)

09

$$42\div7+50-13<\star<51+21\div3-10$$

(　　　　　　　　　　　　　　　　　　　　)

주어진 식에서 ☆은 ♡보다 1 큰 수입니다. ♡, ☆, △가 나타내는 수를 각각 구하시오. (10~16)

10

25−36÷♡+3=22, 9+♡÷2−☆=△

♡=□　☆=□　△=□

11

14+49÷♡−9=12, 28−35÷♡+☆=△

♡=□　☆=□　△=□

12

53−♡÷15+8=57, ☆+52÷4−♡=△

♡=□　☆=□　△=□

13

38−9+♡÷5=42, 13+♡−☆÷3=△

♡=□　☆=□　△=□

14

21+♡÷4−8=18, ☆−5+♡÷10=△

♡=□　☆=□　△=□

15

♡+24÷8−11=7, 45÷♡+69−☆=△

♡=□　☆=□　△=□

16

♡−90÷18+21=40, ♡÷2+☆−17=△

♡=□　☆=□　△=□

사고력 기르기

Step 2

A♡B=A−B÷A+B로 약속할 때 다음을 구하시오. (01~04)

01 (5♡10)♡39

( )

02 (6♡12)♡48

( )

03 5♡(7♡21)

( )

04 19♡(9♡54)

( )

주어진 식에서 ♡가 나타내는 수는 ☆이 나타내는 수의 3배입니다. ♡와 ☆이 나타내는 수를 각각 구하시오. (단, ♡, ☆은 자연수입니다.) (05~09)

05 ♡+☆÷5−6=26 ➡ ♡=□ ☆=□

06 ♡−☆÷6+9=60 ➡ ♡=□ ☆=□

07 ♡−☆÷12+3=108 ➡ ♡=□ ☆=□

08 ♡−20÷☆+8=19 ➡ ♡=□ ☆=□

09 ♡+63÷☆−11=23 ➡ ♡=□ ☆=□

주어진 식의 계산 결과가 자연수일 때 ♡가 될 수 있는 자연수를 모두 구하시오. (10~12)

10 $3<11+5-♡\div6<8$ (　　　　　)

11 $7<23-♡\div5+2<11$ (　　　　　)

12 $10<♡-64\div8+5<14$ (　　　　　)

보기 를 참고하여 계산해 보시오. (13~16)

보기

$30-40\div8\boxed{+10}$
$=30+10-40\div8$
$=40-5=35$

$10+20\div5\boxed{-4}$
$=10-4+20\div5$
$=6+4=10$

13 $50-10+60\div6-8$

14 $14+13-72\div8-11$

15 $38-56\div7-8+10$

16 $62-21-81\div9+19$

실력 점검

보기 와 같이 계산 순서를 나타내고 계산을 하시오. (01~04)

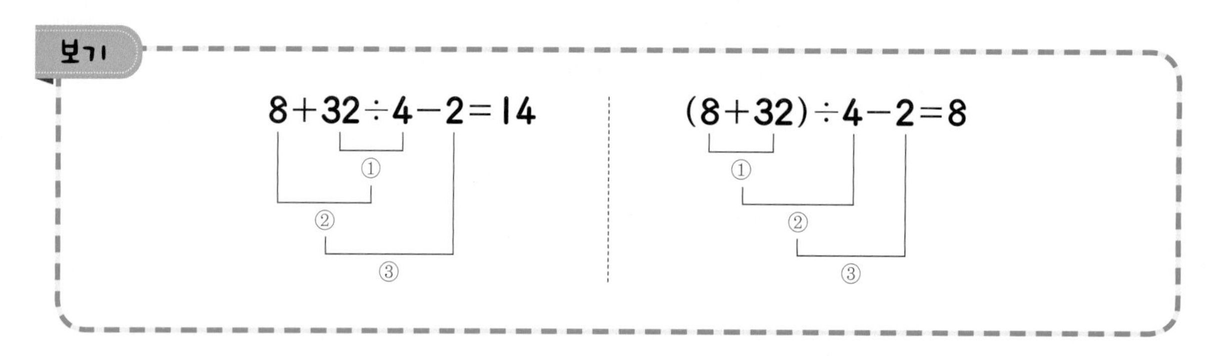

01 $18+78\div6-5$

02 $19-96\div8+3$

03 $65-84\div(7+5)$

04 $(64-4)\div5+18$

계산을 하시오. (05~12)

05 $24+36\div6-15$

06 $48+98\div14-35$

07 $36-81\div9+5$

08 $96-99\div11+7$

09 $28+(16-8)\div4$

10 $(16+84)\div25-2$

11 $21+(100-9)\div13$

12 $64-(25+35)\div12$

실력 점검

식이 성립하도록 알맞은 곳에 (　　) 표시를 하시오. (13~14)

13

$24 \div 12 - 8 + 5 = 11$

14

$27 - 12 \div 3 + 20 = 25$

주어진 식에서 ☆이 될 수 있는 자연수를 모두 구하시오. (15~16)

15

65−18÷6+3<☆<64+70÷5−9　　(　　　　　　)

16

36÷(20−8)+12<☆<20−64÷(17+15)　　(　　　　　　)

A☆B=A−B÷A+B로 약속할 때 다음을 구하시오. (17~20)

17

(2☆4)☆8

(　　　　　　)

18

3☆(3☆9)

(　　　　　　)

19

(4☆12)☆26

(　　　　　　)

20

7☆(10☆20)

(　　　　　　)

주어진 식에서 ♡가 나타내는 수는 ☆이 나타내는 수의 3배입니다. ♡와 ☆이 나타내는 수를 각각 구하시오. (단, ♡와 ☆은 자연수입니다.) (21~22)

21

♡+☆÷4−12=14　➡ ♡=□　☆=□

22

♡−18÷☆+15=40　➡ ♡=□　☆=□

04 덧셈, 뺄셈, 곱셈, 나눗셈이 섞여 있는 식의 계산

개념

- 덧셈, 뺄셈, 곱셈, 나눗셈이 섞여 있는 식은 곱셈과 나눗셈을 먼저 계산합니다.
- (　　)가 있는 식은 (　　) 안을 먼저 계산합니다.

$18+36\div9-5\times2=12$ (36÷9=4, 5×2=10, 18+4=22, 22−10=12)

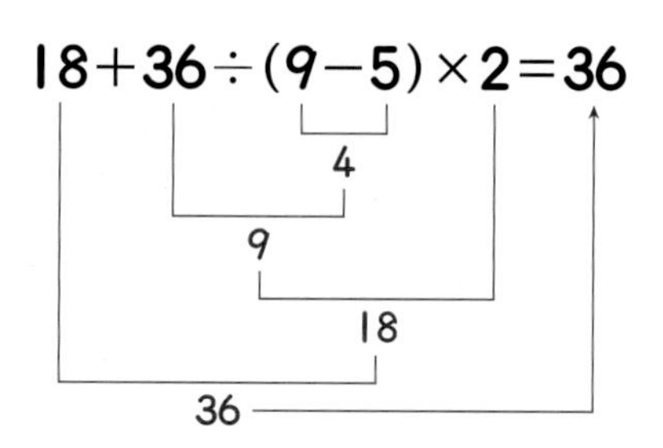

□ 안에 알맞은 수를 써넣으시오. (01~06)

01 $8+9\times2\div3-5$

$=8+\square\div3-5$

$=8+\square-5$

$=\square-5$

$=\square$

02 $50-(9+12)\times5\div7$

$=50-\square\times5\div7$

$=50-\square\div7$

$=50-\square$

$=\square$

03 $25-10\div2+8\times4=\square$

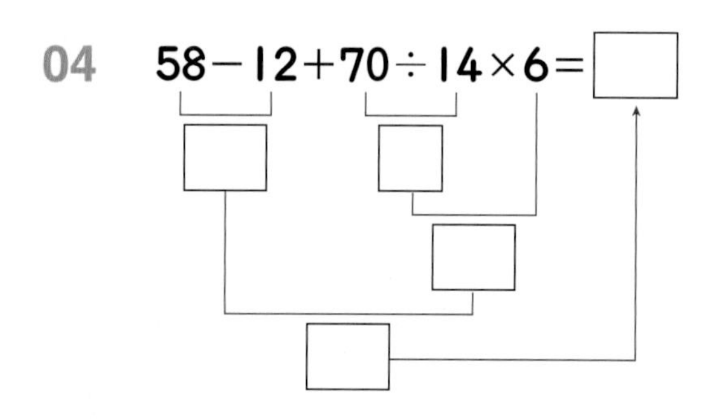

04 $58-12+70\div14\times6=\square$

05 $69\div3-(5+4)\times2=\square$

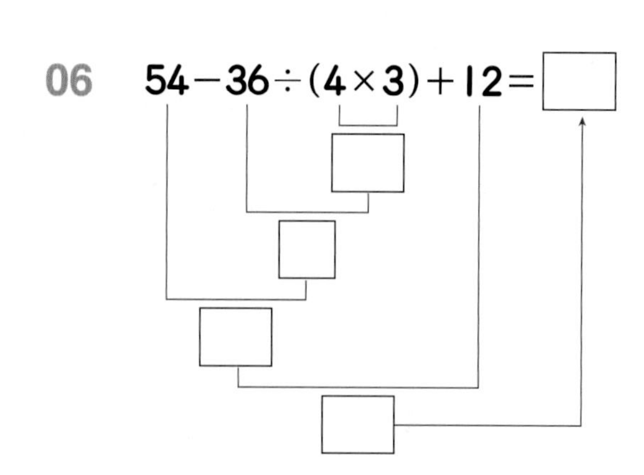

06 $54-36\div(4\times3)+12=\square$

보기 와 같이 계산 순서를 나타내고 계산을 하시오. (07~10)

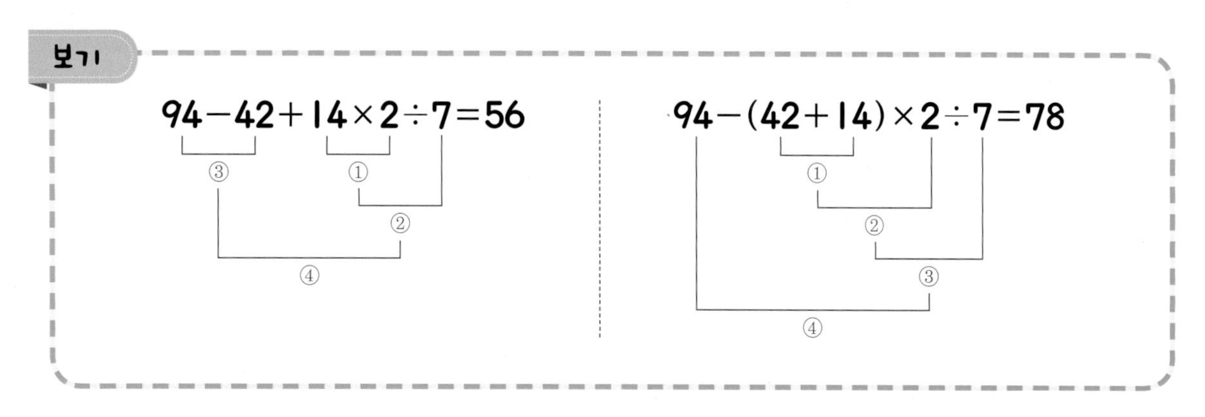

07 $8+64\div16\times3-5$

08 $34+15-72\div6\times4$

09 $27-4\times(6\div3)+2$

10 $(45-3)\div7+4\times8$

계산을 하시오. (11~18)

11 $16+5\times7-81\div9$

12 $60-7\times8+28\div7$

13 $81-15\times2+16\div4$

14 $27+35-96\div8\times4$

15 $5\times(15-6)+56\div7$

16 $9\times4+(60-4)\div8$

17 $54\div(5+4)\times3-8$

18 $(60-24)\div3\times5+12$

사고력 기르기

Step 1

식이 성립하도록 알맞은 곳에 (   ) 표시를 하시오. (01~02)

01

$51 - 15 \div 3 + 2 \times 7 = 30$

02

$40 \div 5 + 3 \times 10 - 6 = 20$

주어진 식에서 ☆이 나타내는 수를 구하시오. (03~06)

03

$38 - \star \div 9 \times 3 + 25 = 48$ ➡ ☆= □

04

$15 + 20 \div 5 - \star \times 3 = 7$ ➡ ☆= □

05

$9 \times 8 - 42 \div \star + 24 = 90$ ➡ ☆= □

06

$57 - \star \times 2 + 9 \div 3 = 24$ ➡ ☆= □

주어진 식에서 ♡는 자연수이고 계산 결과도 자연수입니다. ♡가 될 수 있는 자연수 중 가장 작은 수를 구하시오. (07~10)

07

$55 - \heartsuit \div 3 + 8 \times 5 < 86$

(   )

08

$33 \div 11 \times \heartsuit - 7 + 30 > 50$

(   )

09

$15 + \heartsuit \times 2 \div 4 - 20 > 42$

(   )

10

$9 \times 4 - \heartsuit + 18 \div 6 < 15$

(   )

보기 를 참고하여 계산 과정을 쓰고 답을 구하시오. (11~14)

보기

$100-27\div3\div3\times4+10$
$=100-27\div(3\times3)\times4+10$
$=100-27\div9\times4+10$
$=100-12+10=98$

11 $80-64\div2\div2\div2\times5+11$

12 $9+81\div3\div3\div3\div3\times2-5$

13 $200-128\div4\div4\div4+2\times6$

14 $19+5\times6-625\div5\div5\div5$

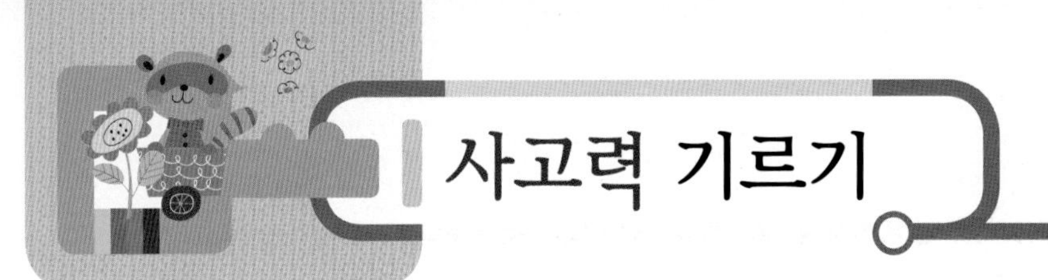

사고력 기르기

Step 2

(　　) 표시를 한 번 넣어 여러 가지 계산 결과가 나오도록 해 보시오. (01~02)

01

$36 - 24 \div 3 + 9 \times 2 = 2$　　$36 - 24 \div 3 + 9 \times 2 = 10$

$36 - 24 \div 3 + 9 \times 2 = 22$　　$36 - 24 \div 3 + 9 \times 2 = 32$

$36 - 24 \div 3 + 9 \times 2 = 74$

02

$8 \times 9 - 3 + 27 \div 3 = 32$　　$8 \times 9 - 3 + 27 \div 3 = 57$

$8 \times 9 - 3 + 27 \div 3 = 60$　　$8 \times 9 - 3 + 27 \div 3 = 62$

$8 \times 9 - 3 + 27 \div 3 = 88$　　$8 \times 9 - 3 + 27 \div 3 = 120$

주어진 식에서 ♥, ☆, ■는 자연수이고, ♥=☆×2, ☆=■×3입니다. ♥, ☆, ■가 나타내는 수를 구하시오. (03~05)

03

30−18÷♥+☆×■=30

♥=□　　☆=□　　■=□

04

50+24÷♥−☆×■=40

♥=□　　☆=□　　■=□

05

15×4÷♥+☆+■=22

♥=□　　☆=□　　■=□

A⊙B=10+A÷4−B×2로 약속할 때 ♥에 알맞은 수를 구하시오. (06~09)

06

60⊙♥=7

♥=□

07

20⊙♥=9

♥=□

08

♥⊙11=11

♥=□

09

♥⊙15=20

♥=□

주어진 수와 계산 기호, ( )를 □ 안에 모두 써넣어 식을 만들려고 합니다. 계산 결과가 가장 큰 자연수가 되도록 식을 만들고 그 값을 구하시오. (10~13)

10

1, 3, 5, 7, 9, +, −, ×, ÷, ( )

□□□□□□□□□□□=□

11

2, 4, 6, 7, 8, +, −, ×, ÷, ( )

□□□□□□□□□□□=□

12

2, 4, 5, 6, 9, +, −, ×, ÷, ( )

□□□□□□□□□□□=□

13

3, 6, 7, 8, 9, +, −, ×, ÷, ( )

□□□□□□□□□□□=□

실력 점검

보기 와 같이 계산 순서를 나타내고 계산을 하시오. (01~04)

보기

$35-12+3\times4\div6=25$ (① 3×4, ② $\div6$, ③ $35-12$, ④ ③+②)

$35-(12+3)\times4\div6=25$ (① $12+3$, ② $\times4$, ③ $\div6$, ④ $35-$③)

01 $16+56\div8\times2-9$

02 $26+34-72\div9\times3$

03 $65-4\times(15\div3)+5$

04 $(38-3)\div7+3\times8$

계산을 하시오. (05~12)

05 $12+4\times9-28\div7$

06 $27-5\times4+96\div6$

07 $75-14\times3+16\div8$

08 $54+36-88\div4\times3$

09 $3\times(18-7)+56\div8$

10 $3\times8+(57-12)\div9$

11 $72\div(9+3)\times5-15$

12 $(80-25)\div11\times2+7$

실력 점검

식이 성립하도록 알맞은 곳에 (　　) 표시를 하시오. (13~14)

13

$16 - 60 \div 5 + 7 \times 2 = 6$

14

$96 \div 8 + 14 - 5 \times 4 = 48$

주어진 식에서 ◆이 나타내는 수를 구하시오. (15~16)

15

$28 - ◆ \times 3 \div 4 + 11 = 30$ ➡ ◆=□

16

$24 + 16 - 90 \div ◆ \times 4 = 20$ ➡ ◆=□

A⊙B=A÷3+B×2−7로 약속할 때 ♥에 알맞은 수를 구하시오. (17~20)

17

12⊙♥=7

♥=□

18

9⊙♥=14

♥=□

19

♥⊙7=12

♥=□

20

♥⊙10=20

♥=□

21 주어진 수와 계산 기호, (　　)를 □ 안에 모두 써넣어 식을 만들려고 합니다. 계산 결과가 가장 큰 자연수가 되도록 식을 만들고 그 값을 구하시오.

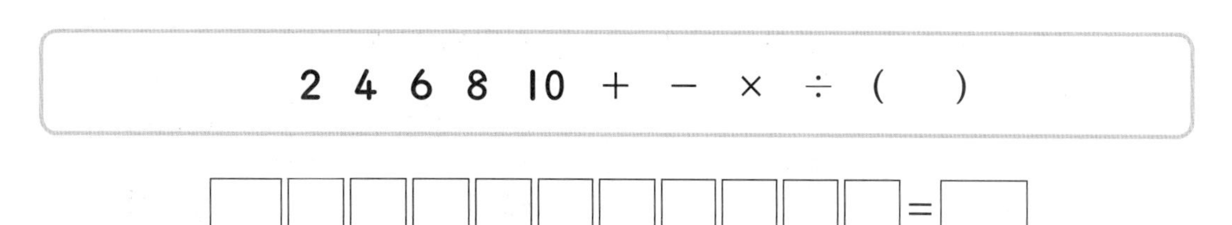

05 약수와 배수

개념

- 어떤 수를 나누어떨어지게 하는 수를 그 수의 약수라고 합니다.

$6\div1=6$ $6\div2=3$ $6\div3=2$ $6\div6=1$

➡ 6의 약수 : 1, 2, 3, 6

- 어떤 수를 1배, 2배, 3배, ……한 수를 그 수의 배수라고 합니다.

➡ 7의 배수 : 7, 14, 21, 28, ……

- 약수와 배수의 관계

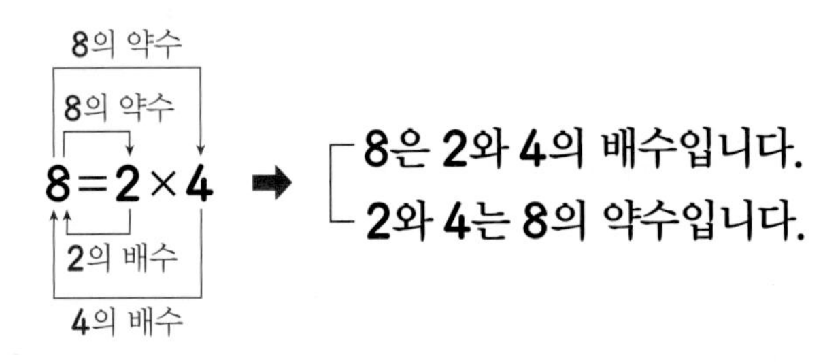

01 10의 약수를 알아보려고 합니다. □ 안에 알맞은 수를 써넣으시오.

$10\div1=10$ $10\div2=5$ $10\div5=2$ $10\div10=1$

➡ 10의 약수 : □, □, □, □

02 배수를 가장 작은 자연수부터 차례로 구하려고 합니다. □ 안에 알맞은 수를 써넣으시오.

(1) 5의 배수 : 5, □, □, □, □, ……

(2) 8의 배수 : 8, □, □, □, □, ……

03 식을 보고 □ 안에 약수, 배수를 알맞게 써넣으시오.

$35=5\times7$ ➡ 35는 5와 7의 □ 입니다.
5와 7은 35의 □ 입니다.

약수를 모두 구하시오. (04~07)

04 12의 약수

( )

05 16의 약수

( )

06 14의 약수

( )

07 20의 약수

( )

배수를 가장 작은 자연수부터 5개 쓰시오. (08~11)

08 4의 배수

( )

09 6의 배수

( )

10 9의 배수

( )

11 10의 배수

( )

12 두 수가 약수와 배수의 관계인 것을 모두 찾아 ○표 하시오.

3	16

( )

8	64

( )

7	50

( )

10	60

( )

13	93

( )

12	48

( )

Step 1

주어진 식에서 ♡와 ☆은 자연수입니다. ♡가 될 수 있는 수를 모두 구하시오. (01~04)

01 43÷♡=☆···3 ➡ (   )

02 31÷♡=☆···4 ➡ (   )

03 29÷♡=☆···5 ➡ (   )

04 86÷♡=☆···6 ➡ (   )

다음 네 자리 수를 보고 물음에 답하시오. (05~09)

25♡4

05 네 자리 수가 3의 배수일 때, ♡가 될 수 있는 숫자를 모두 구하시오.

(   )

06 네 자리 수가 4의 배수일 때, ♡가 될 수 있는 숫자를 모두 구하시오.

(   )

07 네 자리 수가 8의 배수일 때, ♡가 될 수 있는 숫자를 모두 구하시오.

(   )

08 네 자리 수가 9의 배수일 때, ♡가 될 수 있는 숫자를 모두 구하시오.

(   )

09 네 자리 수가 11의 배수일 때, ♡가 될 수 있는 숫자를 모두 구하시오.

(   )

Step 1

A☆B=(A의 약수 중 B의 배수)로 약속할 때, 다음을 구하시오. (10~12)

10 100☆5 ➡ (　　　　　　　　　　)

11 84☆4 ➡ (　　　　　　　　　　)

12 120☆6 ➡ (　　　　　　　　　　)

□ 안에 들어갈 수 있는 숫자를 써넣고, ○ 안에 >, <를 알맞게 써넣으시오. (13~17)

13 3□247 ○ 3□098

└→9의 배수　　└→9의 배수

14 45□32 ○ 45□97

└→9의 배수　　└→9의 배수

15 505□6 ○ 5059□

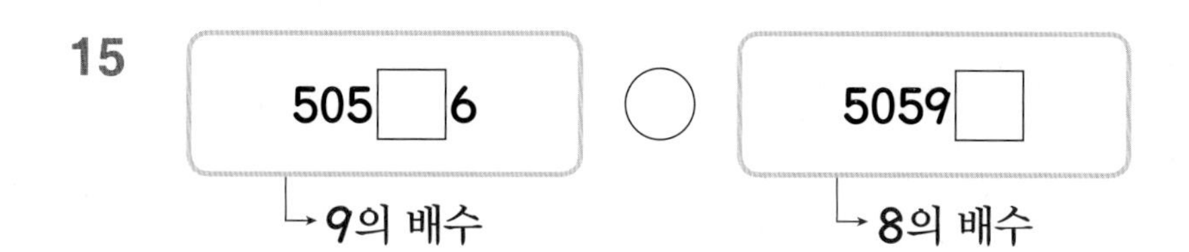

└→9의 배수　　└→8의 배수

16 2146□ ○ 2146□

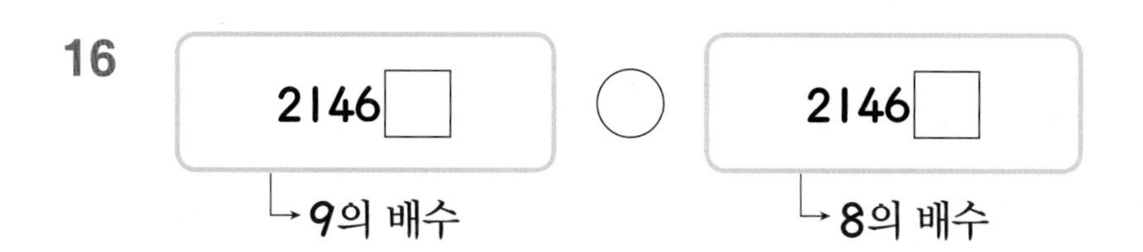

└→9의 배수　　└→8의 배수

17 36□24 ○ 36□08

└→11의 배수　　└→11의 배수

사고력 기르기

Step 2

세 자연수 ♡, ☆, △에서 ♡는 ☆의 배수, ☆은 △의 배수입니다. ☆이 될 수 있는 수를 모두 구하시오. (01~04)

01

♡=100, △=10

☆=(　　　　　　)

02

♡=84, △=6

☆=(　　　　　　)

03

♡=128, △=8

☆=(　　　　　　)

04

♡=240, △=12

☆=(　　　　　　)

주어진 4장의 숫자 카드 중 3장을 골라 만들 수 있는 9의 배수인 세 자리 수를 모두 구하시오. (05~06)

05

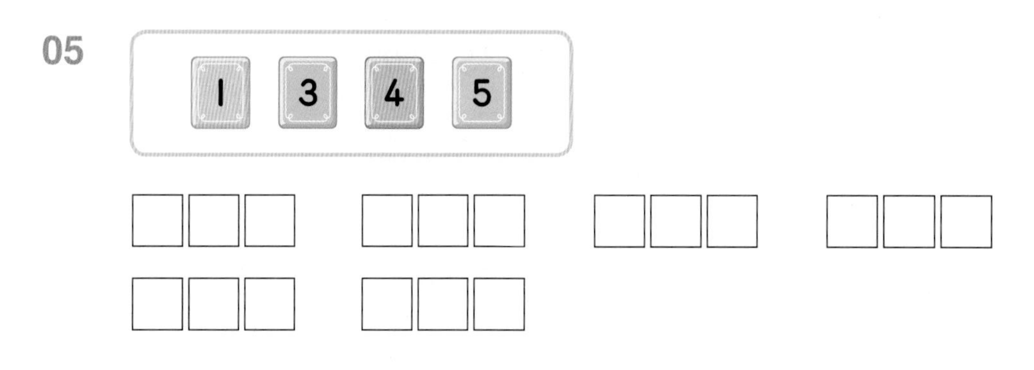

06

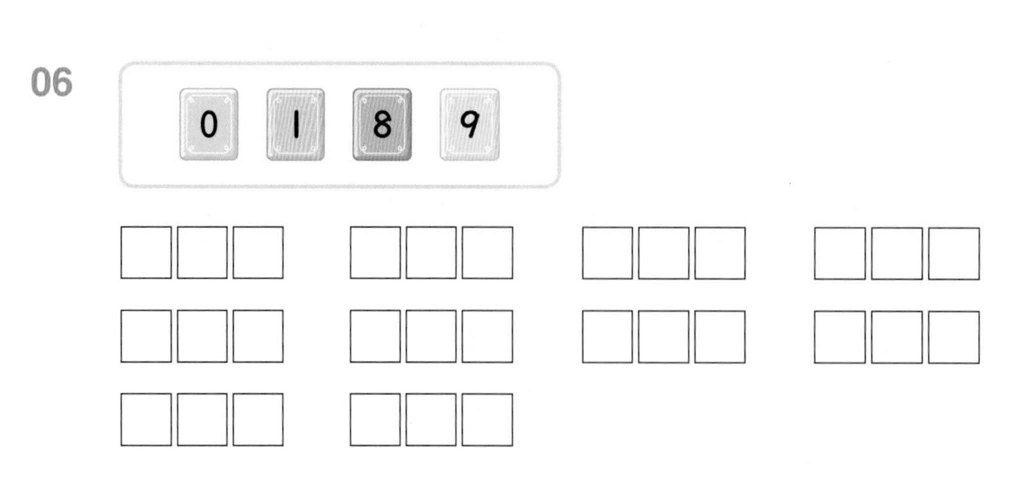

07 다음 네 자리 수는 11의 배수입니다. ♥와 ☆이 될 수 있는 숫자를 모두 구하시오.

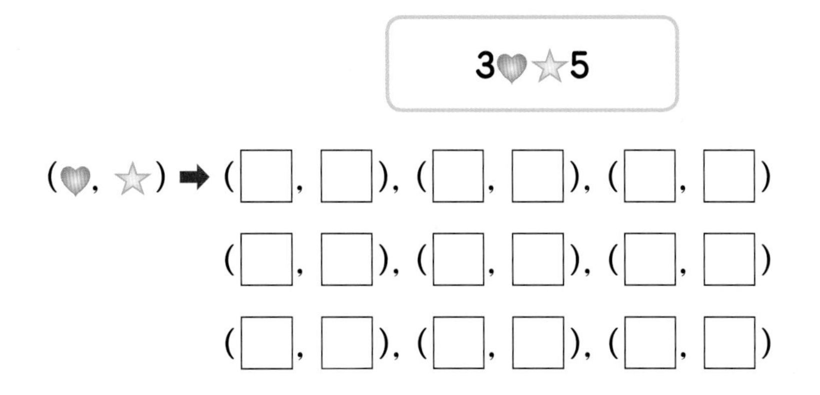

주어진 두 수는 약수와 배수의 관계입니다. ♥가 두 자리 수일 때, ♥가 될 수 있는 수 중 가장 작은 수와 가장 큰 수를 각각 구하시오. (08~11)

08 24 ♥

(가장 작은 수)=□, (가장 큰 수)=□

09 30 ♥

(가장 작은 수)=□, (가장 큰 수)=□

10 ♥ 42

(가장 작은 수)=□, (가장 큰 수)=□

11 ♥ 36

(가장 작은 수)=□, (가장 큰 수)=□

12 다음 다섯 자리 수는 9의 배수입니다. 9의 배수가 될 수 있는 수 중 가장 큰 수를 구하려고 합니다. □ 안에 알맞은 숫자를 써넣으시오.

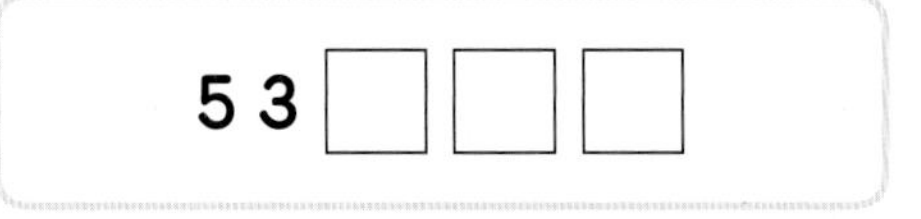

실력 점검

약수를 모두 구하시오. (01~06)

01 10의 약수

(　　　　　　　　　　)

02 14의 약수

(　　　　　　　　　　)

03 18의 약수

(　　　　　　　　　　)

04 26의 약수

(　　　　　　　　　　)

05 36의 약수

(　　　　　　　　　　)

06 42의 약수

(　　　　　　　　　　)

배수를 가장 작은 자연수부터 5개 쓰시오. (07~12)

07 2의 배수

(　　　　　　　　　　)

08 7의 배수

(　　　　　　　　　　)

09 11의 배수

(　　　　　　　　　　)

10 14의 배수

(　　　　　　　　　　)

11 25의 배수

(　　　　　　　　　　)

12 30의 배수

(　　　　　　　　　　)

13 두 수가 약수와 배수의 관계인 것을 찾아 ○표 하시오.

7	65

(　　　)

9	54

(　　　)

15	62

(　　　)

주어진 식에서 ■와 ▲는 자연수입니다. ■가 될 수 있는 수를 모두 구하시오. (14~15)

14

$23 \div ■ = ▲ \cdots 3$ ➡ (　　　　　　　　)

15

$39 \div ■ = ▲ \cdots 4$ ➡ (　　　　　　　　)

A⊙B=(A의 약수 중 B의 배수)로 약속할 때 다음을 구하시오. (16~17)

16

36⊙4 ➡ (　　　　　　　　)

17

40⊙5 ➡ (　　　　　　　　)

세 자연수 ■, ▲, ●에서 ■는 ▲의 배수이고, ▲는 ●의 배수입니다. ▲가 될 수 있는 수를 모두 구하시오. (18~19)

18

■=80 ●=10 ➡ (　　　　　　　　)

19

■=60 ●=3 ➡ (　　　　　　　　)

주어진 두 수는 약수와 배수의 관계입니다. ☆이 두 자리 수일 때 ☆이 될 수 있는 수 중 가장 큰 수와 가장 작은 수를 각각 구하시오. (20~21)

20

28 ☆

(가장 작은 수)=□, (가장 큰 수)=□

21

☆ 39

(가장 작은 수)=□, (가장 큰 수)=□

06 공약수와 최대공약수

개념

두 수의 공통된 약수를 두 수의 공약수라 하고 두 수의 공약수 중에서 가장 큰 수를 최대공약수라고 합니다.

- 12의 약수 : 1, 2, 3, 4, 6, 12
- 16의 약수 : 1, 2, 4, 8, 16
- 12와 16의 공약수 : 1, 2, 4
- 12와 16의 최대공약수 : 4

➡ 두 수의 공약수는 두 수의 최대공약수의 약수와 같습니다.

01 18과 27의 공약수와 최대공약수를 구하려고 합니다. □ 안에 알맞은 수를 써넣으시오.

18의 약수 : 1, 2, 3, 6, 9, 18
27의 약수 : 1, 3, 9, 27

➡

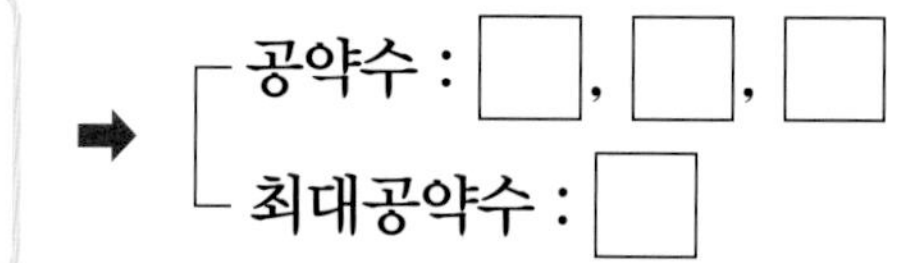

02 곱셈식을 보고 8과 12의 최대공약수를 구하려고 합니다. □ 안에 알맞은 수를 써넣으시오.

$8=2\times2\times2$
$12=2\times2\times3$

➡ 8과 12의 최대공약수
□×□=□

03 18과 30의 최대공약수를 구하려고 합니다. □ 안에 알맞은 수를 써넣으시오.

```
2) 18  30
3)  9  15
    3   5
```

➡ 18과 30의 최대공약수
□×□=□

두 수의 공약수와 최대공약수를 구하시오. (04~07)

04 (8, 10) ➡ 공약수 : (　　　　　　　　)
최대공약수 : (　　　　　　　　)

05 (9, 12) ➡ 공약수 : (　　　　　　　　)
최대공약수 : (　　　　　　　　)

06 (10, 20) ➡ 공약수 : (　　　　　　　　)
최대공약수 : (　　　　　　　　)

07 (18, 42) ➡ 공약수 : (　　　　　　　　)
최대공약수 : (　　　　　　　　)

두 수의 최대공약수를 구하시오. (08~17)

08 (12, 20) ➡ (　　　　　　)　09 (9, 27) ➡ (　　　　　　)

10 (25, 30) ➡ (　　　　　　)　11 (28, 32) ➡ (　　　　　　)

12 (36, 42) ➡ (　　　　　　)　13 (40, 44) ➡ (　　　　　　)

14 (30, 36) ➡ (　　　　　　)　15 (50, 75) ➡ (　　　　　　)

16 (38, 57) ➡ (　　　　　　)　17 (64, 72) ➡ (　　　　　　)

사고력 기르기

Step 1

어떤 두 수 ♥와 ☆의 최대공약수가 다음과 같이 주어졌을 때, ♥와 ☆의 공약수를 모두 구하시오. (01~04)

01

최대공약수 : 30

➡ ♥와 ☆의 공약수 : (　　　　　　　　　　)

02

최대공약수 : 42

➡ ♥와 ☆의 공약수 : (　　　　　　　　　　)

03

최대공약수 : 50

➡ ♥와 ☆의 공약수 : (　　　　　　　　　　)

04

최대공약수 : 64

➡ ♥와 ☆의 공약수 : (　　　　　　　　　　)

주어진 식에서 ♥, ☆, △는 자연수이고, ♥ > ☆, ♥ > △입니다. □ 안에 알맞은 수를 써넣어 조건에 맞는 식을 만드시오. (05~07)

05

24÷♥=☆　　32÷♥=△

24÷□=□, 32÷□=□

06

88÷♥=☆　　66÷♥=△

88÷□=□, 66÷□=□ 또는 88÷□=□, 66÷□=□

07

150÷♥=☆　　90÷♥=△

150÷□=□, 90÷□=□ 또는 150÷□=□, 90÷□=□

Step 1

주어진 식의 계산 결과는 각각 자연수입니다. ♥가 될 수 있는 자연수 중 가장 큰 수를 구하시오. (08~11)

08

52÷♥, 48÷♥

♥=□

09

112÷♥, 84÷♥

♥=□

10

45÷♥, 75÷♥

♥=□

11

63÷♥, 105÷♥

♥=□

서로 다른 두 수의 최대공약수가 주어졌을 때, ☆이 될 수 있는 자연수 중 100보다 작은 수를 모두 구하시오. (12~16)

12

18 ☆ ➡ 최대공약수 : 9

☆=(   )

13

33 ☆ ➡ 최대공약수 : 11

☆=(   )

14

42 ☆ ➡ 최대공약수 : 14

☆=(   )

15

60 ☆ ➡ 최대공약수 : 10

☆=(   )

16

72 ☆ ➡ 최대공약수 : 24

☆=(   )

사고력 기르기

Step 2

주어진 식에서 ♡가 될 수 있는 자연수를 모두 구하시오. (01~04)

01

59÷♡=☆···3   42÷♡=△···2

➡ ♡=(   )

02

38÷♡=☆···2   87÷♡=△···3

➡ ♡=(   )

03

55÷♡=☆···1   93÷♡=△···3

➡ ♡=(   )

04

64÷♡=☆···4   102÷♡=△···2

➡ ♡=(   )

♡는 서로 다른 두 수 중에서 나머지 한 수의 약수입니다. 이 두 수의 최대공약수가 될 수 있는 것 중 가장 큰 수를 구하시오. (05~08)

05

24 ♡

(   )

06

15 ♡

(   )

07

18 ♡

(   )

08

35 ♡

(   )

(가, 나)♡(다, 라)=(가와 나의 최대공약수)×(다와 라의 최대공약수)로 약속할 때 □ 안에 들어갈 수 있는 수를 모두 구하시오. (단, □ 안에 들어갈 수 있는 수는 두 자리 수입니다.)

(09~15)

09

(6, 8)♡(10, □)=10

(　　　　　　　　　　　　　　　　)

10

(9, 12)♡(16, □)=24

(　　　　　　　　　　　　　　　　)

11

(16, 20)♡(18, □)=36

(　　　　　　　　　　　　　　　　)

12

(15, 20)♡(□, 21)=35

(　　　　　　　　　　　　　　　　)

13

(18, 30)♡(□, 20)=60

(　　　　　　　　　　　　　　　　)

14

(13, □)♡(14, 35)=91

(　　　　　　　　　　　　　　　　)

15

(□, 30)♡(55, 40)=75

(　　　　　　　　　　　　　　　　)

실력 점검

두 수의 공약수와 최대공약수를 구하시오. (01~04)

01 (3, 9) ➡ 공약수 : (　　　　　　　　)
최대공약수 : (　　　　　　　　)

02 (4, 6) ➡ 공약수 : (　　　　　　　　)
최대공약수 : (　　　　　　　　)

03 (8, 12) ➡ 공약수 : (　　　　　　　　)
최대공약수 : (　　　　　　　　)

04 (15, 45) ➡ 공약수 : (　　　　　　　　)
최대공약수 : (　　　　　　　　)

두 수의 최대공약수를 구하시오. (05~14)

05 (4, 10) ➡ (　　　　)

06 (8, 20) ➡ (　　　　)

07 (6, 18) ➡ (　　　　)

08 (9, 15) ➡ (　　　　)

09 (10, 20) ➡ (　　　　)

10 (18, 24) ➡ (　　　　)

11 (27, 36) ➡ (　　　　)

12 (36, 48) ➡ (　　　　)

13 (30, 45) ➡ (　　　　)

14 (36, 90) ➡ (　　　　)

실력 점검

주어진 식에서 ♥, ☆, ▲는 자연수이고, ♥>☆, ♥>▲입니다. □ 안에 알맞은 수를 써넣어 조건에 맞는 식을 만드시오. (15~16)

15

16÷♥=☆ 24÷♥=▲ ➡ 16÷□=□, 24÷□=□

16

75÷♥=☆ 60÷♥=▲ ➡ 75÷□=□, 60÷□=□

주어진 식의 계산 결과는 각각 자연수입니다. ■가 될 수 있는 자연수 중 가장 큰 수를 구하시오. (17~18)

17

36÷■ 48÷■

(　　　　　　　　)

18

48÷■ 72÷■

(　　　　　　　　)

서로 다른 두 수의 최대공약수가 주어졌을 때, ☆이 될 수 있는 자연수 중 100보다 작은 수를 모두 구하시오. (19~20)

19

☆ 24 ➡ 최대공약수 : 12

☆=(　　　　　　　　)

20

45 ☆ ➡ 최대공약수 : 15

☆=(　　　　　　　　)

21 주어진 식에서 ♥가 될 수 있는 자연수를 모두 구하시오.

47÷♥=■···2 63÷♥=▲···3

(　　　　　　　　)

07 공배수와 최소공배수

개념

두 수의 공통된 배수를 두 수의 공배수라 하고 두 수의 공배수 중에서 가장 작은 수를 최소공배수라고 합니다.

- 4의 배수 : 4, 8, 12, 16, 20, 24, ……
- 6의 배수 : 6, 12, 18, 24, 30, ……
- 4와 6의 공배수 : 12, 24, ……
- 4와 6의 최소공배수 : 12

➡ 두 수의 공배수는 두 수의 최소공배수의 배수와 같습니다.

01 8과 12의 공배수와 최소공배수를 구하려고 합니다. □ 안에 알맞은 수를 써넣으시오.

8의 배수 : 8, 16, 24, 32, 40, 48, ……
12의 배수 : 12, 24, 36, 48, 60, ……

➡ 공배수 : □, □, ……
최소공배수 : □

02 곱셈식을 보고 20과 30의 최소공배수를 구하려고 합니다. □ 안에 알맞은 수를 써넣으시오.

$20=2\times2\times5$
$30=2\times3\times5$

➡ 20과 30의 최소공배수
$2\times5\times$□$\times$□$=$□

03 18과 30의 최소공배수를 구하려고 합니다. □ 안에 알맞은 수를 써넣으시오.

2) 18 30
3) 9 15
3 5

➡ 18과 30의 최소공배수
□$\times$□$\times$□$\times$□$=$□

두 수의 공배수와 최소공배수를 구하시오. (04~07)

04 (6, 8) ➡ 공배수 : (　　　　　　　　)
최소공배수 : (　　　　　　　　)

05 (10, 15) ➡ 공배수 : (　　　　　　　　)
최소공배수 : (　　　　　　　　)

06 (12, 36) ➡ 공배수 : (　　　　　　　　)
최소공배수 : (　　　　　　　　)

07 (28, 42) ➡ 공배수 : (　　　　　　　　)
최소공배수 : (　　　　　　　　)

두 수의 최소공배수를 구하시오. (08~17)

08 (3, 5) ➡ (　　　　　)

09 (2, 8) ➡ (　　　　　)

10 (9, 12) ➡ (　　　　　)

11 (10, 14) ➡ (　　　　　)

12 (16, 24) ➡ (　　　　　)

13 (25, 30) ➡ (　　　　　)

14 (30, 45) ➡ (　　　　　)

15 (26, 39) ➡ (　　　　　)

16 (18, 45) ➡ (　　　　　)

17 (24, 36) ➡ (　　　　　)

사고력 기르기

Step 1

두 자연수 ♡와 ☆의 최소공배수가 다음과 같이 주어졌을 때, ♡와 ☆의 공배수 중 100보다 크고 200보다 작은 수를 모두 구하시오. (01~04)

01

최소공배수 : 12

➡ ♡와 ☆의 공배수 : (　　　　　　　　　　　　　　　　　　　　)

02

최소공배수 : 18

➡ ♡와 ☆의 공배수 : (　　　　　　　　　　　　　　　　　　　　)

03

최소공배수 : 22

➡ ♡와 ☆의 공배수 : (　　　　　　　　　　　　　　　　　　　　)

04

최소공배수 : 30

➡ ♡와 ☆의 공약수 : (　　　　　　　　　　　　　　　　　　　　)

주어진 두 나눗셈식의 계산 결과는 각각 자연수입니다. ♡가 될 수 있는 수 중 100보다 작은 수를 모두 구하시오. (05~08)

05

♡ $\div$ 6　　♡ $\div$ 8　➡ (　　　　　　　　　　　　)

06

♡ $\div$ 9　　♡ $\div$ 12　➡ (　　　　　　　　　　　　)

07

♡ $\div$ 5　　♡ $\div$ 20　➡ (　　　　　　　　　　　　)

08

♡ $\div$ 32　　♡ $\div$ 16　➡ (　　　　　　　　　　　　)

주어진 두 수의 최소공배수가 다음과 같을 때, ♡가 될 수 있는 수를 모두 구하시오. (09~15)

09 | 6 ♡ | ➡ 최소공배수 : 24

♡=□ ♡=□

10 | 15 ♡ | ➡ 최소공배수 : 45

♡=□ ♡=□

11 | 18 ♡ | ➡ 최소공배수 : 54

♡=□ ♡=□

12 | 9 ♡ | ➡ 최소공배수 : 72

♡=□ ♡=□ ♡=□

13 | 10 ♡ | ➡ 최소공배수 : 70

♡=□ ♡=□ ♡=□ ♡=□

14 | 22 ♡ | ➡ 최소공배수 : 66

♡=□ ♡=□ ♡=□ ♡=□

15 | 14 ♡ | ➡ 최소공배수 : 42

♡=□ ♡=□ ♡=□ ♡=□

사고력 기르기

주어진 식에서 ♡는 두 자리 수입니다. ♡가 될 수 있는 수를 모두 구하시오. (01~04)

01

♡÷6=☆…3　　♡÷14=△…3

♡=□　　♡=□

02

♡÷8=☆…2　　♡÷20=△…2

♡=□　　♡=□

03

♡÷12=☆…4　　♡÷18=△…4

♡=□　　♡=□

04

♡÷5=☆…3　　♡÷25=△…3

♡=□　　♡=□　　♡=□

어떤 두 수 ♡와 ■에 대하여 ♡와 ■의 최소공배수가 다음과 같이 주어졌을 때 □ 안에 알맞은 수를 써넣으시오. (05~06)

05

♡$=2\times3\times3\times7$　　■$=2\times3\times$□

최소공배수 : 630

06

♡$=3\times3\times5$　　■$=3\times3\times5\times$□

최소공배수 : 315

보기 에서 규칙을 찾아 다음을 구하시오. (07~10)

보기

5☆7=35　　20☆10=20　　12☆15=60　　42☆36=252

07 (4☆6)☆10

(　　　　　　　)

08 (20☆16)☆12

(　　　　　　　)

09 18☆(24☆8)

(　　　　　　　)

10 40☆(9☆6)

(　　　　　　　)

보기 를 참고하여 빈칸에 알맞은 수를 써넣으시오. (11~12)

보기

	가	
라		나
	다	

가, 나, 다, 라는 서로 다른 자연수입니다.
가와 나, 나와 다, 다와 라, 라와 가의 최소공배수는 모두 같습니다.

11

	9	
		12

	9	
		12

	9	
		12

12

	14	
		21

	14	
		21

	14	
		21

	14	
		21

실력 점검

두 수의 공배수와 최소공배수를 구하시오. (01~04)

01 (2, 4) ➡ 공배수 : (　　　　　　　)
최소공배수 : (　　　　　　　)

02 (6, 10) ➡ 공배수 : (　　　　　　　)
최소공배수 : (　　　　　　　)

03 (8, 12) ➡ 공배수 : (　　　　　　　)
최소공배수 : (　　　　　　　)

04 (15, 20) ➡ 공배수 : (　　　　　　　)
최소공배수 : (　　　　　　　)

두 수의 최소공배수를 구하시오. (05~14)

05 (3, 9) ➡ (　　　　)

06 (11, 33) ➡ (　　　　)

07 (8, 14) ➡ (　　　　)

08 (10, 16) ➡ (　　　　)

09 (15, 25) ➡ (　　　　)

10 (18, 27) ➡ (　　　　)

11 (12, 36) ➡ (　　　　)

12 (14, 42) ➡ (　　　　)

13 (32, 48) ➡ (　　　　)

14 (28, 21) ➡ (　　　　)

실력 점검

주어진 두 나눗셈식의 계산 결과는 각각 자연수입니다. ♥가 될 수 있는 수 중 100보다 작은 수를 모두 구하시오. (15~16)

15

♥÷15　♥÷6

➡ (　　　　　)

16

♥÷14　♥÷21

➡ (　　　　　)

주어진 두 수의 최소공배수가 다음과 같을 때, ☆이 될 수 있는 수를 모두 구하시오. (17~18)

17

8　☆

➡ 최소공배수 : 24

☆=(　　　　　)

18

☆　12

➡ 최소공배수 : 36

☆=(　　　　　)

주어진 식에서 ♥는 두 자리 수입니다. ♥가 될 수 있는 수를 모두 구하시오. (19~20)

19

♥÷5=☆···2　♥÷4=△···2

(　　　　　)

20

♥÷8=☆···3　♥÷6=△···3

(　　　　　)

21 어떤 두 수 ■와 △에 대하여 ■와 △의 최소공배수가 다음과 같을 때 □ 안에 알맞은 수를 써넣으시오.

■$=2\times2\times3\times5$
△$=2\times3\times5\times$□

최소공배수 : 420

08 약분과 통분

개념

1. 약분

분모와 분자를 공약수로 나누어 간단히 하는 것을 약분한다고 합니다.

예 12와 18의 공약수 : 1, 2, 3, 6

$\frac{12}{18}=\frac{12\div2}{18\div2}=\frac{6}{9}$, $\frac{12}{18}=\frac{12\div3}{18\div3}=\frac{4}{6}$, $\frac{12}{18}=\frac{12\div6}{18\div6}=\frac{2}{3}$

2. 기약분수

$\frac{3}{4}$, $\frac{2}{5}$, $\frac{6}{7}$과 같이 분모와 분자의 공약수가 1뿐인 분수를 기약분수라고 합니다.

3. 통분

분수의 분모를 같게 하는 것을 통분한다고 하고, 통분한 분모를 공통분모라고 합니다.

• 분모의 곱을 공통분모로 하여 통분하기

$\left(\frac{3}{4}, \frac{5}{6}\right) \Rightarrow \left(\frac{3\times6}{4\times6}, \frac{5\times4}{6\times4}\right) \Rightarrow \left(\frac{18}{24}, \frac{20}{24}\right)$

• 분모의 최소공배수를 공통분모로 하여 통분하기

$\left(\frac{3}{4}, \frac{5}{6}\right) \Rightarrow \left(\frac{3\times3}{4\times3}, \frac{5\times2}{6\times2}\right) \Rightarrow \left(\frac{9}{12}, \frac{10}{12}\right)$

기약분수로 나타내려고 합니다. □ 안에 알맞은 수를 써넣으시오. (01~02)

01 $\frac{10}{15}=\frac{10\div\square}{15\div\square}=\frac{\square}{\square}$

02 $\frac{30}{36}=\frac{30\div\square}{36\div\square}=\frac{\square}{\square}$

$\frac{5}{8}$와 $\frac{5}{6}$를 통분하려고 합니다. □ 안에 알맞은 수를 써넣으시오. (03~04)

03 분모의 곱을 공통분모로 하여 통분하기

$\left(\frac{5}{8}, \frac{5}{6}\right) \Rightarrow \left(\frac{5\times\square}{8\times6}, \frac{5\times\square}{6\times8}\right) \Rightarrow \left(\frac{\square}{48}, \frac{\square}{48}\right)$

04 분모의 최소공배수를 공통분모로 하여 통분하기

$\left(\frac{5}{8}, \frac{5}{6}\right) \Rightarrow \left(\frac{5\times\square}{8\times3}, \frac{5\times\square}{6\times4}\right) \Rightarrow \left(\frac{\square}{24}, \frac{\square}{24}\right)$

기약분수로 나타내어 보시오. (05~10)

05 $\frac{8}{12}$

06 $\frac{18}{20}$

07 $\frac{30}{40}$

08 $\frac{15}{35}$

09 $\frac{12}{28}$

10 $\frac{36}{45}$

분모의 곱을 공통분모로 하여 통분하시오. (11~16)

11 $\left(\frac{1}{2}, \frac{2}{5}\right)$ ➡ (   )

12 $\left(\frac{1}{6}, \frac{5}{9}\right)$ ➡ (   )

13 $\left(\frac{4}{5}, \frac{2}{3}\right)$ ➡ (   )

14 $\left(\frac{7}{9}, \frac{3}{4}\right)$ ➡ (   )

15 $\left(\frac{3}{8}, \frac{1}{6}\right)$ ➡ (   )

16 $\left(\frac{7}{12}, \frac{3}{8}\right)$ ➡ (   )

분모의 최소공배수를 공통분모로 하여 통분하시오. (17~22)

17 $\left(\frac{2}{3}, \frac{4}{9}\right)$ ➡ (   )

18 $\left(\frac{3}{4}, \frac{5}{6}\right)$ ➡ (   )

19 $\left(\frac{3}{8}, \frac{11}{12}\right)$ ➡ (   )

20 $\left(\frac{7}{10}, \frac{7}{15}\right)$ ➡ (   )

21 $\left(\frac{7}{18}, \frac{3}{27}\right)$ ➡ (   )

22 $\left(\frac{11}{24}, \frac{5}{36}\right)$ ➡ (   )

사고력 기르기

Step 1

주어진 조건을 보고 ☆과 ♡가 될 수 있는 자연수를 구하시오. (01~06)

01

☆+♡=40, $\frac{☆}{♡}=\frac{3}{7}$

☆=□ ♡=□

02

☆+♡=36, $\frac{☆}{♡}=\frac{4}{5}$

☆=□ ♡=□

03

☆+♡=42, $\frac{☆}{♡}=\frac{5}{9}$

☆=□ ♡=□

04

☆+♡=55, $\frac{☆}{♡}=\frac{5}{6}$

☆=□ ♡=□

05

♡−☆=25, $\frac{☆}{♡}=\frac{3}{8}$

☆=□ ♡=□

06

♡−☆=12, $\frac{☆}{♡}=\frac{8}{11}$

☆=□ ♡=□

짝지은 두 분수의 크기를 비교하여 더 큰 분수를 오른쪽의 □ 안에 써넣으시오. (07~08)

07

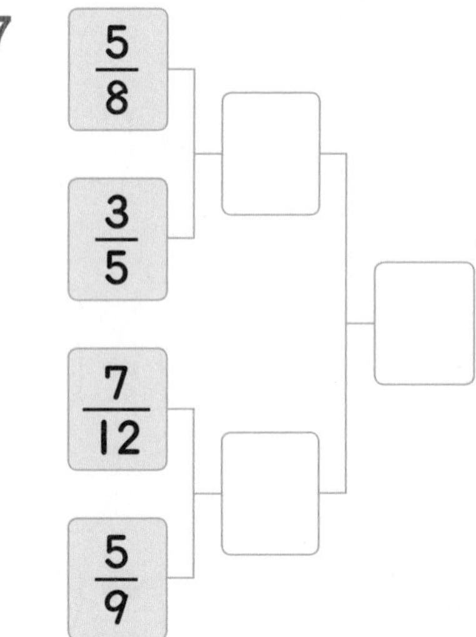

08

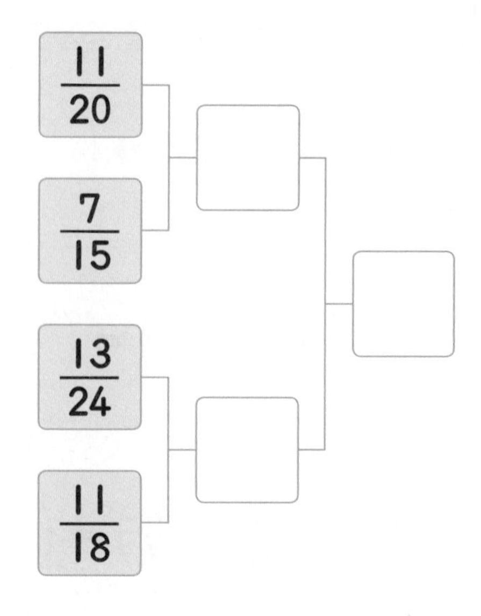

□ 안에 들어갈 수 있는 자연수를 모두 구하시오. (09~12)

09

$\frac{5}{24} > \frac{\square}{18}$

(   )

10

$\frac{9}{32} > \frac{\square}{20}$

(   )

11

$\frac{\square}{42} < \frac{5}{36}$

(   )

12

$\frac{\square}{45} < \frac{4}{27}$

(   )

△와 ♡는 자연수입니다. 주어진 조건에 맞는 △와 ♡를 각각 구하시오. (13~16)

13

- $\frac{△}{♡}$를 기약분수로 나타내면 $\frac{5}{12}$입니다.
- △와 ♡의 공약수는 1, 2, 4, 8입니다.

△=□ ♡=□

14

- $\frac{△}{♡}$를 기약분수로 나타내면 $\frac{7}{15}$입니다.
- △와 ♡의 공약수는 1, 2, 3, 6입니다.

△=□ ♡=□

15

- $\frac{△}{♡}$를 기약분수로 나타내면 $\frac{11}{21}$입니다.
- △와 ♡의 공약수는 1, 2, 5, 10입니다.

△=□ ♡=□

16

- $\frac{△}{♡}$를 기약분수로 나타내면 $\frac{4}{9}$입니다.
- △와 ♡의 공약수는 1, 3, 9입니다.

△=□ ♡=□

사고력 기르기

Step 2

다음을 보고 ☆과 ♡가 나타내는 자연수를 각각 구하시오. (01~08)

01 $\frac{☆}{♡-7}$ ➡ 3으로 약분 ➡ $\frac{1}{5}$ ☆= ♡=

02 $\frac{☆}{♡-9}$ ➡ 4로 약분 ➡ $\frac{2}{7}$ ☆= ♡=

03 $\frac{☆}{♡+5}$ ➡ 5로 약분 ➡ $\frac{5}{9}$ ☆= ♡=

04 $\frac{☆}{♡+11}$ ➡ 6으로 약분 ➡ $\frac{7}{12}$ ☆= ♡=

05 $\frac{☆-5}{♡}$ ➡ 7로 약분 ➡ $\frac{3}{8}$ ☆= ♡=

06 $\frac{☆+6}{♡}$ ➡ 8로 약분 ➡ $\frac{11}{15}$ ☆= ♡=

07 $\frac{☆-2}{♡}$ ➡ 2로 약분 ➡ 5로 약분 ➡ $\frac{5}{6}$ ☆= ♡=

08 $\frac{☆+3}{♡}$ ➡ 3으로 약분 ➡ 4로 약분 ➡ $\frac{13}{20}$ ☆= ♡=

주어진 식에서 □ 안에 들어갈 수 있는 자연수를 모두 구하시오. (09~12)

09 $\frac{5}{9}<\frac{6}{\square}<1$

(　　　　　　　　　　)

10 $\frac{8}{11}<\frac{6}{\square}<1$

(　　　　　　　　　　)

11 $\frac{16}{19}<\frac{12}{\square}<1$

(　　　　　　　　　　)

12 $\frac{24}{31}<\frac{18}{\square}<1$

(　　　　　　　　　　)

보기 를 참고하여 ○ 안에 > 또는 <를 알맞게 써넣으시오. (13~18)

보기

$\frac{4}{5}<\frac{5}{6}<\frac{6}{7}<\frac{7}{8}$……과 같이 분모와 분자의 차가 같은 분수끼리는 분모가 더 큰 쪽이 더 큰 수입니다.

13 $\frac{55}{187}$ ○ $\frac{119}{251}$

14 $\frac{191}{360}$ ○ $\frac{125}{294}$

15 $\frac{441}{481}$ ○ $\frac{229}{249}$

16 $\frac{542}{553}$ ○ $\frac{1073}{1095}$

17 $\frac{691}{727}$ ○ $\frac{245}{257}$

18 $\frac{841}{873}$ ○ $\frac{207}{215}$

실력 점검

기약분수로 나타내어 보시오. (01~06)

01 $\frac{8}{10}$

02 $\frac{10}{25}$

03 $\frac{15}{30}$

04 $\frac{56}{64}$

05 $\frac{11}{66}$

06 $\frac{49}{84}$

분모의 곱을 공통분모로 하여 통분하시오. (07~12)

07 $\left(\frac{4}{5}, \frac{5}{6}\right)$ ➡ (　　　　　)

08 $\left(\frac{7}{9}, \frac{1}{2}\right)$ ➡ (　　　　　)

09 $\left(\frac{3}{11}, \frac{4}{5}\right)$ ➡ (　　　　　)

10 $\left(\frac{11}{12}, \frac{3}{4}\right)$ ➡ (　　　　　)

11 $\left(\frac{8}{15}, \frac{2}{3}\right)$ ➡ (　　　　　)

12 $\left(\frac{1}{6}, \frac{5}{8}\right)$ ➡ (　　　　　)

분모의 최소공배수를 공통분모로 하여 통분하시오. (13~18)

13 $\left(\frac{2}{9}, \frac{1}{6}\right)$ ➡ (　　　　　)

14 $\left(\frac{7}{10}, \frac{5}{12}\right)$ ➡ (　　　　　)

15 $\left(\frac{3}{8}, \frac{5}{14}\right)$ ➡ (　　　　　)

16 $\left(\frac{11}{25}, \frac{11}{15}\right)$ ➡ (　　　　　)

17 $\left(\frac{4}{21}, \frac{9}{28}\right)$ ➡ (　　　　　)

18 $\left(\frac{10}{27}, \frac{7}{36}\right)$ ➡ (　　　　　)

주어진 조건을 보고 ■와 ▲가 될 수 있는 자연수를 구하시오. (19~20)

19

■+▲=52 $\quad \frac{▲}{■}=\frac{5}{8}$

■=□ ▲=□

20

■−▲=10 $\quad \frac{▲}{■}=\frac{7}{9}$

■=□ ▲=□

▲와 ♥는 자연수입니다. 주어진 조건에 맞는 ▲와 ♥를 각각 구하시오. (21~22)

21

- $\frac{▲}{♥}$를 기약분수로 나타내면 $\frac{3}{4}$입니다.
- ▲와 ♥의 공약수는 1, 2, 4, 8입니다.

▲=□ ♥=□

22

- $\frac{▲}{♥}$를 기약분수로 나타내면 $\frac{7}{13}$입니다.
- ▲와 ♥의 공약수는 1, 2, 3, 6입니다.

▲=□ ♥=□

다음을 보고 ☆과 ♥가 나타내는 자연수를 각각 구하시오. (23~24)

23

$\frac{☆}{♥+3}$ ➡ 4로 약분 ➡ $\frac{3}{7}$

☆=□ ♥=□

24

$\frac{☆-5}{♥}$ ➡ 6으로 약분 ➡ $\frac{4}{9}$

☆=□ ♥=□

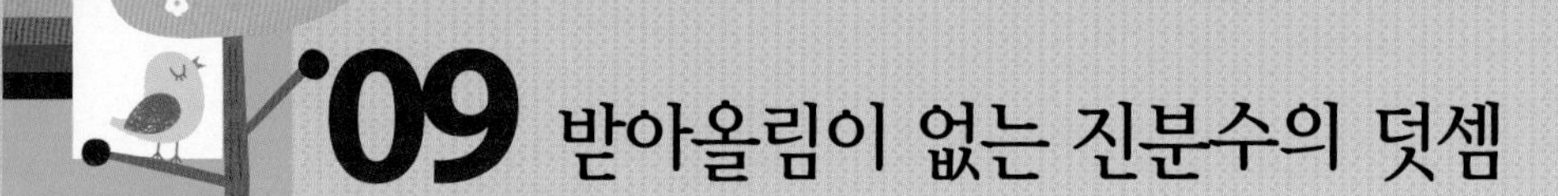

09 받아올림이 없는 진분수의 덧셈

개념

분수를 통분하여 분모가 같은 분수로 고친 다음 분자끼리 더합니다.

• 분모의 곱을 이용하여 통분한 후 계산하기

$$\frac{3}{4}+\frac{1}{6}=\frac{18}{24}+\frac{4}{24}=\frac{22}{24}=\frac{11}{12}$$

• 분모의 최소공배수를 이용하여 통분한 후 계산하기

$$\frac{3}{4}+\frac{1}{6}=\frac{9}{12}+\frac{2}{12}=\frac{11}{12}$$

그림을 보고 □ 안에 알맞은 수를 써넣으시오. (01~03)

01

$$\frac{1}{2}+\frac{1}{3}=\frac{\square}{6}+\frac{\square}{6}=\frac{\square}{6}$$

02

$$\frac{2}{3}+\frac{1}{4}=\frac{\square}{12}+\frac{\square}{12}=\frac{\square}{12}$$

03

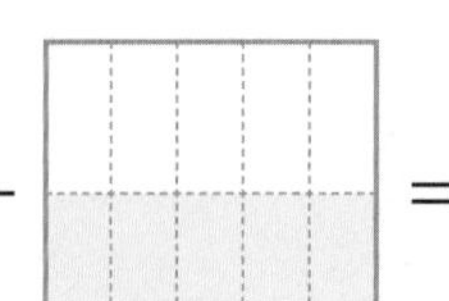

$$\frac{2}{5}+\frac{1}{2}=\frac{\square}{10}+\frac{\square}{10}=\frac{\square}{10}$$

□ 안에 알맞은 수를 써넣으시오. (04~07)

04 $\frac{1}{6}+\frac{5}{8}=\frac{1\times\square}{6\times8}+\frac{5\times\square}{8\times6}=\frac{\square}{48}+\frac{\square}{48}=\frac{\square}{48}=\frac{\square}{24}$

05 $\frac{1}{2}+\frac{1}{4}=\frac{1\times\square}{2\times4}+\frac{1\times\square}{4\times2}=\frac{\square}{8}+\frac{\square}{8}=\frac{\square}{8}=\frac{\square}{4}$

06 $\frac{2}{5}+\frac{3}{10}=\frac{2\times\square}{5\times2}+\frac{3}{10}=\frac{\square}{10}+\frac{3}{10}=\frac{\square}{10}$

07 $\frac{1}{6}+\frac{7}{15}=\frac{1\times\square}{6\times5}+\frac{7\times\square}{15\times2}=\frac{\square}{30}+\frac{\square}{30}=\frac{\square}{30}$

계산을 하시오. (08~17)

08 $\frac{1}{6}+\frac{4}{9}$

09 $\frac{3}{8}+\frac{1}{12}$

10 $\frac{3}{4}+\frac{1}{5}$

11 $\frac{1}{9}+\frac{5}{12}$

12 $\frac{5}{6}+\frac{1}{8}$

13 $\frac{2}{3}+\frac{2}{9}$

14 $\frac{2}{5}+\frac{3}{8}$

15 $\frac{7}{12}+\frac{5}{18}$

16 $\frac{1}{4}+\frac{3}{7}$

17 $\frac{1}{6}+\frac{9}{20}$

사고력 기르기

□ 안에 알맞은 수를 써넣으시오. (01~06)

01

$$\frac{1}{6}+\frac{\square}{8}=\frac{13}{24}$$

02

$$\frac{3}{4}+\frac{\square}{9}=\frac{35}{36}$$

03

$$\frac{\square}{11}+\frac{5}{33}=\frac{20}{33}$$

04

$$\frac{1}{8}+\frac{7}{\square}=\frac{17}{24}$$

05

$$\frac{5}{16}+\frac{5}{\square}=\frac{25}{48}$$

06

$$\frac{7}{\square}+\frac{11}{27}=\frac{43}{54}$$

□ 안에 들어갈 수 있는 자연수를 모두 구하시오. (07~12)

07

$$\frac{1}{2}+\frac{1}{5}<\frac{\square}{10}<1$$

(　　　　　　　　)

08

$$\frac{5}{8}+\frac{3}{10}<\frac{\square}{40}<1$$

(　　　　　　　　)

09

$$\frac{9}{16}+\frac{11}{28}<\frac{\square}{112}<1$$

(　　　　　　　　)

10

$$\frac{25}{42}+\frac{13}{35}<\frac{\square}{210}<1$$

(　　　　　　　　)

11

$$\frac{17}{36}+\frac{11}{24}<\frac{\square}{72}<1$$

(　　　　　　　　)

12

$$\frac{16}{21}+\frac{10}{49}<\frac{\square}{147}<1$$

(　　　　　　　　)

다음 그림에서 가로의 세 분수의 합은 세로의 세 분수의 합과 같습니다. ♡ 부분에 알맞은 분수를 기약분수로 나타내시오. (13~14)

13

	$\frac{1}{9}$	
♡	☆	$\frac{7}{18}$
	$\frac{5}{6}$	

(   )

14

	$\frac{19}{60}$	
$\frac{5}{12}$	☆	$\frac{9}{30}$
	♡	

(   )

주어진 식에서 ♡는 ☆보다 크거나 같은 자연수입니다. 조건을 만족하는 여러 가지 식을 만들어 보시오. (15~16)

15

$$\frac{♡}{5}+\frac{☆}{15}<1$$

$\frac{\square}{5}+\frac{\square}{15}<1$　$\frac{\square}{5}+\frac{\square}{15}<1$　$\frac{\square}{5}+\frac{\square}{15}<1$　$\frac{\square}{5}+\frac{\square}{15}<1$

$\frac{\square}{5}+\frac{\square}{15}<1$　$\frac{\square}{5}+\frac{\square}{15}<1$　$\frac{\square}{5}+\frac{\square}{15}<1$　$\frac{\square}{5}+\frac{\square}{15}<1$

16

$$\frac{♡}{6}+\frac{☆}{8}<1$$

$\frac{\square}{6}+\frac{\square}{8}<1$　$\frac{\square}{6}+\frac{\square}{8}<1$　$\frac{\square}{6}+\frac{\square}{8}<1$　$\frac{\square}{6}+\frac{\square}{8}<1$

$\frac{\square}{6}+\frac{\square}{8}<1$　$\frac{\square}{6}+\frac{\square}{8}<1$　$\frac{\square}{6}+\frac{\square}{8}<1$　$\frac{\square}{6}+\frac{\square}{8}<1$

$\frac{\square}{6}+\frac{\square}{8}<1$

사고력 기르기

주어진 식에서 ♡가 될 수 있는 자연수 중 가장 큰 수를 구하시오. (01~04)

01 $\frac{3}{14}+\frac{8}{21}<\frac{5}{♡}$

(　　　　　　　　　　)

02 $\frac{8}{25}+\frac{4}{15}<\frac{11}{♡}$

(　　　　　　　　　　)

03 $\frac{5}{32}+\frac{7}{20}<\frac{9}{♡}$

(　　　　　　　　　　)

04 $\frac{13}{42}+\frac{17}{54}<\frac{59}{♡}$

(　　　　　　　　　　)

기호 ♡를 아래와 같이 약속할 때 다음을 구하시오. (단, $\frac{라}{가}+\frac{나}{다}$의 계산 결과는 기약분수입니다.) (05~08)

$$\frac{나}{가}♡\frac{라}{다}=\frac{라}{가}+\frac{나}{다}$$

05 $\frac{1}{5}♡\frac{3}{7}$ (　　　　　　　　　　)

06 $\frac{5}{9}♡\frac{4}{27}$ (　　　　　　　　　　)

07 $\frac{1}{70}♡\left(\frac{2}{5}♡\frac{3}{7}\right)$ (　　　　　)

08 $\frac{7}{60}♡\left(\frac{2}{5}♡\frac{1}{9}\right)$ (　　　　　)

09 주어진 식을 성립시키는 여러 가지 덧셈식을 만들어 보시오.

$$\frac{♡}{6}+\frac{☆}{12}=\frac{11}{12}$$

$\frac{\square}{6}+\frac{\square}{12}=\frac{11}{12}$　$\frac{\square}{6}+\frac{\square}{12}=\frac{11}{12}$　$\frac{\square}{6}+\frac{\square}{12}=\frac{11}{12}$

$\frac{\square}{6}+\frac{\square}{12}=\frac{11}{12}$　$\frac{\square}{6}+\frac{\square}{12}=\frac{11}{12}$

주어진 식은 두 기약분수의 합이고 계산 결과는 1보다 작습니다. 만들 수 있는 덧셈식을 모두 만들어 보시오. (10~11)

10

$$\frac{1}{6}+\frac{3}{♥}=\frac{☆}{24}$$

$\frac{1}{6}+\frac{3}{\square}=\frac{\square}{24}$ $\frac{1}{6}+\frac{3}{\square}=\frac{\square}{24}$

11

$$\frac{1}{12}+\frac{5}{♥}=\frac{☆}{36}$$

$\frac{1}{12}+\frac{5}{\square}=\frac{\square}{36}$ $\frac{1}{12}+\frac{5}{\square}=\frac{\square}{36}$ $\frac{1}{12}+\frac{5}{\square}=\frac{\square}{36}$

$\frac{1}{12}+\frac{5}{\square}=\frac{\square}{36}$ $\frac{1}{12}+\frac{5}{\square}=\frac{\square}{36}$

보기 에서 규칙을 찾아 □ 안에 알맞은 수를 써넣으시오. (12~13)

보기

$\frac{1}{2}=\frac{1}{3}+\frac{1}{6}$, $\frac{1}{3}=\frac{1}{4}+\frac{1}{12}$, $\frac{1}{4}=\frac{1}{5}+\frac{1}{20}$, $\frac{1}{5}=\frac{1}{6}+\frac{1}{30}$, ……

12

$$\frac{1}{8}=\frac{1}{\square}+\frac{1}{\square}$$

13

$$\frac{1}{20}=\frac{1}{\square}+\frac{1}{\square}$$

실력 점검

□ 안에 알맞은 수를 써넣으시오. (01~04)

01 $\frac{3}{7}+\frac{1}{3}=\frac{\square}{21}+\frac{\square}{21}=\frac{\square}{21}$

02 $\frac{4}{5}+\frac{1}{8}=\frac{\square}{40}+\frac{\square}{40}=\frac{\square}{40}$

03 $\frac{2}{3}+\frac{1}{9}=\frac{\square}{9}+\frac{\square}{9}=\frac{\square}{9}$

04 $\frac{5}{12}+\frac{3}{8}=\frac{\square}{24}+\frac{\square}{24}=\frac{\square}{24}$

계산을 하시오. (05~14)

05 $\frac{1}{2}+\frac{1}{5}$

06 $\frac{2}{7}+\frac{3}{5}$

07 $\frac{3}{10}+\frac{1}{3}$

08 $\frac{2}{9}+\frac{1}{6}$

09 $\frac{7}{12}+\frac{3}{8}$

10 $\frac{3}{5}+\frac{3}{10}$

11 $\frac{2}{9}+\frac{5}{12}$

12 $\frac{4}{9}+\frac{1}{2}$

13 $\frac{11}{20}+\frac{1}{6}$

14 $\frac{5}{16}+\frac{13}{24}$

실력 점검

□ 안에 알맞은 수를 써넣으시오. (15~18)

15 $\frac{1}{6}+\frac{\square}{8}=\frac{7}{24}$

16 $\frac{1}{4}+\frac{\square}{3}=\frac{11}{12}$

17 $\frac{7}{12}+\frac{3}{\square}=\frac{23}{24}$

18 $\frac{2}{7}+\frac{3}{\square}=\frac{31}{35}$

19 오른쪽 그림에서 가로의 세 분수의 합은 세로의 세 분수의 합과 같습니다. ♥ 부분에 알맞은 분수를 기약분수로 나타내시오.

(　　　　　　　　　　)

	$\frac{3}{5}$	
$\frac{1}{2}$	☆	♥
	$\frac{3}{10}$	

주어진 식에서 ♥가 될 수 있는 자연수 중 가장 큰 수를 구하시오. (20~21)

20 $\frac{5}{12}+\frac{3}{14}<\frac{53}{♥}$

(　　　　　　　　　　)

21 $\frac{3}{16}+\frac{3}{20}<\frac{3}{♥}$

(　　　　　　　　　　)

22 주어진 식을 성립시키는 여러 가지 덧셈식을 만들어 보시오.

$\frac{■}{5}+\frac{▲}{15}=\frac{14}{15}$ ➡

$\frac{\square}{5}+\frac{\square}{15}=\frac{14}{15}$　$\frac{\square}{5}+\frac{\square}{15}=\frac{14}{15}$

$\frac{\square}{5}+\frac{\square}{15}=\frac{14}{15}$　$\frac{\square}{5}+\frac{\square}{15}=\frac{14}{15}$

10 받아올림이 있는 진분수의 덧셈, 가분수의 덧셈

개념

1. 받아올림이 있는 진분수의 덧셈

• 분모의 곱을 이용하여 통분한 후 계산하기

$$\frac{3}{4}+\frac{7}{8}=\frac{24}{32}+\frac{28}{32}=\frac{52}{32}=1\frac{20}{32}=1\frac{5}{8}$$

• 분모의 최소공배수를 이용하여 통분한 후 계산하기

$$\frac{3}{4}+\frac{7}{8}=\frac{6}{8}+\frac{7}{8}=\frac{13}{8}=1\frac{5}{8}$$

2. 가분수의 덧셈

• 분모의 곱을 이용하여 통분한 후 계산하기

$$\frac{7}{5}+\frac{11}{10}=\frac{70}{50}+\frac{55}{50}=\frac{125}{50}=2\frac{25}{50}=2\frac{1}{2}$$

• 분모의 최소공배수를 이용하여 통분한 후 계산하기

$$\frac{7}{5}+\frac{11}{10}=\frac{14}{10}+\frac{11}{10}=\frac{25}{10}=2\frac{5}{10}=2\frac{1}{2}$$

그림을 보고 □ 안에 알맞은 수를 써넣으시오. (01~02)

01

$$\frac{2}{3}+\frac{4}{5}=\frac{\square}{15}+\frac{\square}{15}=\frac{\square}{15}=\square\frac{\square}{15}$$

02

$$\frac{3}{2}+\frac{4}{3}=\frac{\square}{6}+\frac{\square}{6}=\frac{\square}{6}=2\frac{\square}{6}$$

□ 안에 알맞은 수를 써넣으시오. (03~06)

03 $\frac{7}{8}+\frac{5}{6}=\frac{\square}{24}+\frac{\square}{24}=\frac{\square}{24}=\square\frac{\square}{24}$

04 $\frac{4}{5}+\frac{5}{9}=\frac{\square}{45}+\frac{\square}{45}=\frac{\square}{45}=\square\frac{\square}{45}$

05 $\frac{8}{7}+\frac{7}{3}=\frac{\square}{21}+\frac{\square}{21}=\frac{\square}{21}=\square\frac{\square}{21}$

06 $\frac{9}{4}+\frac{7}{6}=\frac{\square}{12}+\frac{\square}{12}=\frac{\square}{12}=\square\frac{\square}{12}$

계산을 하시오. (07~16)

07 $\frac{2}{3}+\frac{1}{2}$

08 $\frac{11}{9}+\frac{7}{8}$

09 $\frac{1}{4}+\frac{7}{9}$

10 $\frac{6}{5}+\frac{11}{10}$

11 $\frac{2}{3}+\frac{3}{5}$

12 $\frac{7}{2}+\frac{5}{3}$

13 $\frac{5}{6}+\frac{7}{18}$

14 $\frac{10}{9}+\frac{13}{12}$

15 $\frac{8}{15}+\frac{11}{18}$

16 $\frac{13}{12}+\frac{7}{8}$

사고력 기르기

□ 안에 알맞은 수를 써넣으시오. (01~06)

01 $\frac{3}{5}+\frac{\square}{8}=1\frac{19}{40}$

02 $\frac{5}{9}+\frac{\square}{6}=1\frac{7}{18}$

03 $\frac{\square}{12}+\frac{7}{9}=1\frac{13}{36}$

04 $\frac{5}{4}+\frac{\square}{7}=2\frac{11}{28}$

05 $\frac{7}{6}+\frac{11}{\square}=2\frac{4}{15}$

06 $\frac{9}{8}+\frac{17}{\square}=2\frac{13}{24}$

두 진분수의 합과 대분수의 크기를 비교한 것입니다. □ 안에 들어갈 수 있는 자연수는 모두 몇 개인지 구하시오. (07~12)

07 $\frac{7}{9}+\frac{\square}{27}>1\frac{5}{27}$

(　　　　　　　　)

08 $\frac{13}{20}+\frac{\square}{12}>1\frac{7}{60}$

(　　　　　　　　)

09 $\frac{11}{15}+\frac{\square}{18}>1\frac{23}{90}$

(　　　　　　　　)

10 $\frac{\square}{16}+\frac{11}{24}>1\frac{5}{48}$

(　　　　　　　　)

11 $\frac{\square}{15}+\frac{16}{45}<1\frac{14}{45}$

(　　　　　　　　)

12 $\frac{\square}{30}+\frac{19}{42}<1\frac{37}{210}$

(　　　　　　　　)

보기 에서 규칙을 찾아 빈 곳에 알맞은 기약분수를 써넣으시오. (13~20)

보기

1	2	
	3	5

3	5	
	8	13

8	4	
	12	16

13

$\frac{1}{2}$		
	$\frac{7}{6}$	

14

$\frac{2}{3}$		
	$\frac{19}{15}$	

15

	$\frac{3}{4}$	
		$\frac{19}{12}$

16

	$\frac{5}{8}$	
		$\frac{53}{36}$

17

	$\frac{7}{15}$	
	$\frac{23}{30}$	

18

	$\frac{11}{18}$	
	$\frac{37}{36}$	

19

	$\frac{25}{18}$	$\frac{20}{9}$

20

	$\frac{76}{63}$	$\frac{227}{126}$

사고력 기르기

Step 2

주어진 식에서 ♡는 ☆보다 큰 자연수입니다. 조건을 만족하는 여러 가지 식을 만들어 보시오. (01~02)

01

$$1<\frac{♡}{2}+\frac{☆}{6}<3$$

$1<\frac{\square}{2}+\frac{\square}{6}<3$ $1<\frac{\square}{2}+\frac{\square}{6}<3$ $1<\frac{\square}{2}+\frac{\square}{6}<3$

$1<\frac{\square}{2}+\frac{\square}{6}<3$ $1<\frac{\square}{2}+\frac{\square}{6}<3$ $1<\frac{\square}{2}+\frac{\square}{6}<3$

$1<\frac{\square}{2}+\frac{\square}{6}<3$ $1<\frac{\square}{2}+\frac{\square}{6}<3$

02

$$2<\frac{♡}{3}+\frac{☆}{5}<3$$

$2<\frac{\square}{3}+\frac{\square}{5}<3$ $2<\frac{\square}{3}+\frac{\square}{5}<3$ $2<\frac{\square}{3}+\frac{\square}{5}<3$

$2<\frac{\square}{3}+\frac{\square}{5}<3$ $2<\frac{\square}{3}+\frac{\square}{5}<3$ $2<\frac{\square}{3}+\frac{\square}{5}<3$

$2<\frac{\square}{3}+\frac{\square}{5}<3$ $2<\frac{\square}{3}+\frac{\square}{5}<3$ $2<\frac{\square}{3}+\frac{\square}{5}<3$

$2<\frac{\square}{3}+\frac{\square}{5}<3$ $2<\frac{\square}{3}+\frac{\square}{5}<3$

두 진분수의 합과 대분수의 크기를 비교한 것입니다. ♥가 될 수 있는 자연수 중 가장 큰 수를 구하시오. (03~06)

03

$$\frac{8}{15}+\frac{16}{25}<1\frac{26}{♥}$$

(　　　　　　　　　　)

04

$$\frac{7}{12}+\frac{9}{16}<1\frac{14}{♥}$$

(　　　　　　　　　　)

05

$$\frac{11}{14}+\frac{13}{21}<1\frac{34}{♥}$$

(　　　　　　　　　　)

06

$$\frac{7}{18}+\frac{19}{24}<1\frac{39}{♥}$$

(　　　　　　　　　　)

주어진 조건에 맞는 덧셈식을 만들어 보시오. (07~09)

- ♥, ☆, ▲는 분모보다 작은 서로 다른 자연수입니다.
- ☆−♥=▲−☆입니다.

07

$$\frac{♥}{3}+\frac{☆}{4}+\frac{▲}{5}=2\frac{13}{60} \Rightarrow \frac{\square}{3}+\frac{\square}{4}+\frac{\square}{5}=2\frac{13}{60}$$

08

$$\frac{♥}{4}+\frac{☆}{5}+\frac{▲}{6}=1\frac{41}{60} \Rightarrow \frac{\square}{4}+\frac{\square}{5}+\frac{\square}{6}=1\frac{41}{60}$$

09

$$\frac{♥}{3}+\frac{☆}{7}+\frac{▲}{9}=1\frac{43}{63} \Rightarrow \frac{\square}{3}+\frac{\square}{7}+\frac{\square}{9}=1\frac{43}{63}$$

실력 점검

□ 안에 알맞은 수를 써넣으시오. (01~04)

01 $\frac{4}{5}+\frac{2}{3}=\frac{\square}{15}+\frac{\square}{15}=\frac{\square}{15}=\square\frac{\square}{15}$

02 $\frac{5}{6}+\frac{3}{4}=\frac{\square}{12}+\frac{\square}{12}=\frac{\square}{12}=\square\frac{\square}{12}$

03 $\frac{8}{5}+\frac{1}{2}=\frac{\square}{10}+\frac{\square}{10}=\frac{\square}{10}=\square\frac{\square}{10}$

04 $\frac{9}{8}+\frac{7}{6}=\frac{\square}{24}+\frac{\square}{24}=\frac{\square}{24}=\square\frac{\square}{24}$

계산을 하시오. (05~14)

05 $\frac{7}{8}+\frac{3}{4}$

06 $\frac{8}{7}+\frac{2}{3}$

07 $\frac{7}{9}+\frac{2}{3}$

08 $\frac{5}{6}+\frac{11}{8}$

09 $\frac{9}{10}+\frac{7}{12}$

10 $\frac{3}{2}+\frac{5}{3}$

11 $\frac{11}{15}+\frac{5}{6}$

12 $\frac{17}{10}+\frac{17}{15}$

13 $\frac{9}{15}+\frac{17}{18}$

14 $\frac{7}{6}+\frac{11}{8}$

실력 점검

□ 안에 알맞은 수를 써넣으시오. (15~18)

15 $\frac{4}{5}+\frac{\square}{8}=1\frac{27}{40}$

16 $\frac{2}{3}+\frac{\square}{5}=1\frac{4}{15}$

17 $\frac{\square}{7}+\frac{2}{3}=1\frac{17}{21}$

18 $\frac{8}{5}+\frac{\square}{10}=2\frac{9}{10}$

보기 에서 규칙을 찾아 빈 곳에 알맞은 기약분수를 써넣으시오. (19~20)

보기

1	3	
	4	7

2	4	
	6	10

3	2	
	5	7

19

$\frac{2}{3}$	$\frac{4}{5}$	
		$\frac{34}{15}$

20

	$\frac{17}{12}$	$\frac{13}{6}$

21 주어진 식에서 ♡는 ☆보다 큰 자연수입니다. 조건을 만족하는 여러가지 식을 만들어 보시오.

$1<\frac{♡}{2}+\frac{☆}{3}<3$

$1<\frac{\square}{2}+\frac{\square}{3}<3$ $1<\frac{\square}{2}+\frac{\square}{3}<3$ $1<\frac{\square}{2}+\frac{\square}{3}<3$

$1<\frac{\square}{2}+\frac{\square}{3}<3$ $1<\frac{\square}{2}+\frac{\square}{3}<3$ $1<\frac{\square}{2}+\frac{\square}{3}<3$

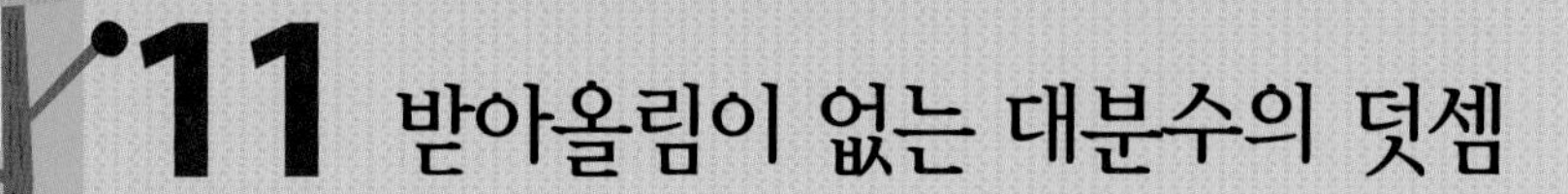

11 받아올림이 없는 대분수의 덧셈

개념

• 자연수는 자연수끼리, 분수는 분수끼리 더해서 계산하기

$$1\frac{1}{4}+2\frac{1}{2}=(1+2)+\left(\frac{1}{4}+\frac{1}{2}\right)=3+\left(\frac{1}{4}+\frac{2}{4}\right)=3+\frac{3}{4}=3\frac{3}{4}$$

• 대분수를 가분수로 고쳐서 계산하기

$$1\frac{1}{4}+2\frac{1}{2}=\frac{5}{4}+\frac{5}{2}=\frac{5}{4}+\frac{10}{4}=\frac{15}{4}=3\frac{3}{4}$$

그림을 보고 □ 안에 알맞은 수를 써넣으시오. (01~02)

01

$$1\frac{1}{3}+1\frac{1}{4}=(1+1)+\left(\frac{1}{3}+\frac{1}{4}\right)=\square+\left(\frac{\square}{12}+\frac{\square}{12}\right)$$

$$=\square+\frac{\square}{12}=\square\frac{\square}{12}$$

02

$$1\frac{2}{5}+1\frac{1}{2}=(1+1)+\left(\frac{2}{5}+\frac{1}{2}\right)=\square+\left(\frac{\square}{10}+\frac{\square}{10}\right)$$

$$=\square+\frac{\square}{10}=\square\frac{\square}{10}$$

□ 안에 알맞은 수를 써넣으시오. (03~06)

03 $1\frac{3}{5}+2\frac{3}{10}=(1+\square)+\left(\frac{\square}{10}+\frac{\square}{10}\right)=\square+\frac{\square}{10}=\square\frac{\square}{10}$

04 $1\frac{3}{4}+1\frac{1}{6}=(1+\square)+\left(\frac{\square}{12}+\frac{\square}{12}\right)=\square+\frac{\square}{12}=\square\frac{\square}{12}$

05 $2\frac{1}{5}+1\frac{1}{2}=\frac{\square}{5}+\frac{\square}{2}=\frac{\square}{10}+\frac{\square}{10}=\frac{\square}{10}=\square\frac{\square}{10}$

06 $3\frac{2}{3}+2\frac{2}{9}=\frac{\square}{3}+\frac{\square}{9}=\frac{\square}{9}+\frac{\square}{9}=\frac{\square}{9}=\square\frac{\square}{9}$

계산을 하시오. (07~16)

07 $2\frac{1}{5}+3\frac{1}{6}$

08 $1\frac{1}{4}+3\frac{3}{8}$

09 $3\frac{1}{2}+1\frac{4}{9}$

10 $3\frac{1}{4}+2\frac{3}{7}$

11 $2\frac{2}{9}+1\frac{5}{12}$

12 $1\frac{11}{36}+2\frac{1}{6}$

13 $3\frac{3}{10}+1\frac{5}{8}$

14 $2\frac{3}{8}+1\frac{5}{12}$

15 $3\frac{1}{4}+5\frac{1}{6}$

16 $2\frac{4}{7}+5\frac{2}{21}$

사고력 기르기

Step 1

$\square$ 안에 알맞은 수를 써넣으시오. (01~08)

01

$$2\frac{1}{4}+3\frac{\square}{5}=5\frac{17}{20}$$

02

$$3\frac{1}{6}+4\frac{\square}{8}=7\frac{19}{24}$$

03

$$4\frac{\square}{9}+2\frac{5}{12}=6\frac{31}{36}$$

04

$$1\frac{\square}{10}+3\frac{7}{15}=4\frac{23}{30}$$

05

$$2\frac{1}{\square}+4\frac{3}{8}=6\frac{19}{40}$$

06

$$6\frac{2}{\square}+1\frac{10}{21}=7\frac{16}{21}$$

07

$$5\frac{5}{14}+2\frac{9}{\square}=7\frac{43}{70}$$

08

$$9\frac{7}{27}+3\frac{11}{\square}=12\frac{68}{135}$$

주어진 식에서 $\heartsuit$가 될 수 있는 자연수 중 가장 큰 수를 구하시오. (09~12)

09

$$2\frac{\heartsuit}{9}+3\frac{2}{15}<5\frac{2}{3}$$

$\heartsuit=\square$

10

$$1\frac{\heartsuit}{7}+5\frac{3}{35}<6\frac{13}{14}$$

$\heartsuit=\square$

11

$$3\frac{5}{12}+6\frac{\heartsuit}{15}<9\frac{19}{20}$$

$\heartsuit=\square$

12

$$5\frac{1}{8}+2\frac{\heartsuit}{12}<7\frac{3}{4}$$

$\heartsuit=\square$

주어진 식이 성립할 때, ♥와 ☆에 알맞은 자연수를 각각 구하시오. (13~16)

13 $1\frac{♥}{5}+2\frac{☆}{4}=3\frac{17}{20}$ ➡ ♥=□ ☆=□

14 $2\frac{♥}{7}+4\frac{☆}{3}=6\frac{19}{21}$ ➡ ♥=□ ☆=□

15 $3\frac{♥}{8}+2\frac{☆}{10}=5\frac{27}{40}$ ➡ ♥=□ ☆=□

16 $6\frac{♥}{9}+1\frac{☆}{12}=7\frac{17}{36}$ ➡ ♥=□ ☆=□

주어진 4장의 숫자 카드 중 3장을 뽑아 만들 수 있는 가장 큰 대분수와 가장 작은 대분수의 합을 구하시오. (17~19)

17 1 2 7 9 ➡ $\square\frac{\square}{\square}+\square\frac{\square}{\square}=\square\frac{\square}{\square}$

18 1 3 5 8 ➡ $\square\frac{\square}{\square}+\square\frac{\square}{\square}=\square\frac{\square}{\square}$

19 1 3 7 8 ➡ $\square\frac{\square}{\square}+\square\frac{\square}{\square}=\square\frac{\square}{\square}$

사고력 기르기

Step 2

다음은 대분수의 덧셈식입니다. 주어진 식을 성립시키는 여러 가지 덧셈식을 만들어 보시오.
(단, 서로 다른 모양은 서로 다른 수이고, 대분수에서 분수 부분은 기약분수입니다.) (01~02)

01

$$2\frac{\heartsuit}{8}+3\frac{\star}{4}=5\frac{\triangle}{8}$$

$2\frac{\square}{8}+3\frac{\square}{4}=5\frac{\square}{8}$ $2\frac{\square}{8}+3\frac{\square}{4}=5\frac{\square}{8}$

$2\frac{\square}{8}+3\frac{\square}{4}=5\frac{\square}{8}$

02

$$5\frac{\heartsuit}{9}+2\frac{\star}{12}=7\frac{\triangle}{36}$$

$5\frac{\square}{9}+2\frac{\square}{12}=7\frac{\square}{36}$ $5\frac{\square}{9}+2\frac{\square}{12}=7\frac{\square}{36}$

$5\frac{\square}{9}+2\frac{\square}{12}=7\frac{\square}{36}$ $5\frac{\square}{9}+2\frac{\square}{12}=7\frac{\square}{36}$

$5\frac{\square}{9}+2\frac{\square}{12}=7\frac{\square}{36}$ $5\frac{\square}{9}+2\frac{\square}{12}=7\frac{\square}{36}$

$5\frac{\square}{9}+2\frac{\square}{12}=7\frac{\square}{36}$ $5\frac{\square}{9}+2\frac{\square}{12}=7\frac{\square}{36}$

$5\frac{\square}{9}+2\frac{\square}{12}=7\frac{\square}{36}$ $5\frac{\square}{9}+2\frac{\square}{12}=7\frac{\square}{36}$

식이 성립하도록 $\heartsuit$와 $\star$에 알맞은 자연수를 각각 구하시오. (단, 대분수에서 분수 부분은 기약분수입니다.) (03~12)

03

$$1\frac{1}{4}+2\frac{2}{\heartsuit}=3\frac{\star}{12}$$

$\heartsuit=\square$ $\star=\square$

04

$$2\frac{1}{6}+4\frac{3}{\heartsuit}=6\frac{\star}{48}$$

$\heartsuit=\square$ $\star=\square$

05

$$5\frac{5}{18}+2\frac{7}{\heartsuit}=7\frac{\star}{54}$$

$\heartsuit=\square$ $\star=\square$

06

$$3\frac{3}{20}+5\frac{5}{\heartsuit}=8\frac{\star}{40}$$

$\heartsuit=\square$ $\star=\square$

07

$$4\frac{7}{12}+1\frac{2}{\heartsuit}=5\frac{\star}{36}$$

$\heartsuit=\square$ $\star=\square$

08

$$2\frac{9}{25}+2\frac{16}{\heartsuit}=4\frac{\star}{75}$$

$\heartsuit=\square$ $\star=\square$

09

$$5\frac{5}{\heartsuit}+2\frac{7}{16}=7\frac{\star}{64}$$

$\heartsuit=\square$ $\star=\square$

10

$$8\frac{2}{\heartsuit}+1\frac{11}{24}=9\frac{\star}{72}$$

$\heartsuit=\square$ $\star=\square$

11

$$3\frac{7}{\heartsuit}+2\frac{17}{42}=5\frac{\star}{84}$$

$\heartsuit=\square$ $\star=\square$

12

$$7\frac{2}{\heartsuit}+2\frac{9}{22}=9\frac{\star}{66}$$

$\heartsuit=\square$ $\star=\square$

실력 점검

□ 안에 알맞은 수를 써넣으시오. (01~04)

01 $2\frac{1}{3}+1\frac{3}{5}=(2+\square)+\left(\frac{\square}{15}+\frac{\square}{15}\right)=\square+\frac{\square}{15}=\square\frac{\square}{15}$

02 $3\frac{2}{7}+2\frac{1}{4}=(3+\square)+\left(\frac{\square}{28}+\frac{\square}{28}\right)=\square+\frac{\square}{28}=\square\frac{\square}{28}$

03 $1\frac{1}{8}+2\frac{5}{6}=\frac{\square}{8}+\frac{\square}{6}=\frac{\square}{24}+\frac{\square}{24}=\frac{\square}{24}=\square\frac{\square}{24}$

04 $1\frac{2}{3}+1\frac{1}{9}=\frac{\square}{3}+\frac{\square}{9}=\frac{\square}{9}+\frac{\square}{9}=\frac{\square}{9}=\square\frac{\square}{9}$

계산을 하시오. (05~14)

05 $3\frac{1}{5}+2\frac{1}{4}$

06 $2\frac{1}{4}+5\frac{5}{8}$

07 $3\frac{1}{2}+2\frac{3}{7}$

08 $1\frac{5}{12}+3\frac{1}{4}$

09 $2\frac{2}{5}+3\frac{3}{10}$

10 $2\frac{3}{7}+3\frac{1}{4}$

11 $2\frac{2}{9}+5\frac{1}{6}$

12 $3\frac{3}{14}+2\frac{10}{21}$

13 $4\frac{7}{18}+2\frac{2}{9}$

14 $4\frac{5}{28}+2\frac{11}{42}$

실력 점검

□ 안에 알맞은 수를 써넣으시오. (15~18)

15 $1\frac{1}{3}+2\frac{\square}{4}=3\frac{7}{12}$

16 $2\frac{2}{9}+3\frac{\square}{3}=5\frac{8}{9}$

17 $3\frac{\square}{10}+2\frac{5}{8}=5\frac{37}{40}$

18 $1\frac{\square}{21}+4\frac{4}{7}=5\frac{2}{3}$

주어진 4장의 숫자 카드 중 3장을 뽑아 만들 수 있는 가장 큰 대분수와 가장 작은 대분수의 합을 구하시오. (19~20)

19

1 2 5 7 ➡ $\square\frac{\square}{\square}+\square\frac{\square}{\square}=\square\frac{\square}{\square}$

20

1 3 6 8 ➡ $\square\frac{\square}{\square}+\square\frac{\square}{\square}=\square\frac{\square}{\square}$

21 다음은 대분수의 덧셈식입니다 주어진 식을 성립시키는 여러 가지 덧셈식을 만들어 보시오. (단, 서로 다른 모양은 서로 다른 수이고, 대분수에서 분수 부분은 기약분수입니다.)

$1\frac{■}{8}+2\frac{▲}{10}=3\frac{●}{40}$

$1\frac{\square}{8}+2\frac{\square}{10}=3\frac{\square}{40}$ $1\frac{\square}{8}+2\frac{\square}{10}=3\frac{\square}{40}$

$1\frac{\square}{8}+2\frac{\square}{10}=3\frac{\square}{40}$ $1\frac{\square}{8}+2\frac{\square}{10}=3\frac{\square}{40}$

$1\frac{\square}{8}+2\frac{\square}{10}=3\frac{\square}{40}$ $1\frac{\square}{8}+2\frac{\square}{10}=3\frac{\square}{40}$

12 받아올림이 있는 대분수의 덧셈

개념

• 자연수는 자연수끼리, 분수는 분수끼리 더해서 계산하기

$$1\frac{5}{6}+1\frac{1}{4}=(1+1)+\left(\frac{5}{6}+\frac{1}{4}\right)=2+\left(\frac{10}{12}+\frac{3}{12}\right)$$
$$=2+\frac{13}{12}=2+1\frac{1}{12}=3\frac{1}{12}$$

• 대분수를 가분수로 고쳐서 계산하기

$$1\frac{5}{6}+1\frac{1}{4}=\frac{11}{6}+\frac{5}{4}=\frac{22}{12}+\frac{15}{12}=\frac{37}{12}=3\frac{1}{12}$$

그림을 보고 □ 안에 알맞은 수를 써넣으시오. (01~02)

01

• $1\frac{1}{2}+1\frac{2}{3}=(1+1)+\left(\frac{1}{2}+\frac{2}{3}\right)=\square+\left(\frac{\square}{6}+\frac{\square}{6}\right)$

$=\square+\square\frac{\square}{6}=\square\frac{\square}{6}$

• $1\frac{1}{2}+1\frac{2}{3}=\frac{\square}{2}+\frac{\square}{3}=\frac{\square}{6}+\frac{\square}{6}=\frac{\square}{6}=\square\frac{\square}{6}$

02

• $1\frac{1}{3}+1\frac{3}{4}=(1+1)+\left(\frac{1}{3}+\frac{3}{4}\right)=\square+\left(\frac{\square}{12}+\frac{\square}{12}\right)$

$=\square+\square\frac{\square}{12}=\square\frac{\square}{12}$

• $1\frac{1}{3}+1\frac{3}{4}=\frac{\square}{3}+\frac{\square}{4}=\frac{\square}{12}+\frac{\square}{12}=\frac{\square}{12}=\square\frac{\square}{12}$

□ 안에 알맞은 수를 써넣으시오. (03~06)

03 $2\frac{4}{5}+1\frac{3}{10}=(2+1)+\left(\frac{\square}{10}+\frac{\square}{10}\right)=\square+\square\frac{\square}{10}=\square\frac{\square}{10}$

04 $2\frac{1}{3}+1\frac{8}{9}=(2+1)+\left(\frac{\square}{9}+\frac{\square}{9}\right)=\square+\square\frac{\square}{9}=\square\frac{\square}{9}$

05 $1\frac{2}{3}+2\frac{3}{4}=\frac{\square}{3}+\frac{\square}{4}=\frac{\square}{12}+\frac{\square}{12}=\frac{\square}{12}=\square\frac{\square}{12}$

06 $2\frac{1}{6}+2\frac{8}{9}=\frac{\square}{6}+\frac{\square}{9}=\frac{\square}{18}+\frac{\square}{18}=\frac{\square}{18}=\square\frac{\square}{18}$

계산을 하시오. (07~16)

07 $1\frac{5}{6}+3\frac{3}{4}$

08 $2\frac{1}{3}+1\frac{8}{9}$

09 $1\frac{5}{8}+2\frac{5}{6}$

10 $2\frac{3}{4}+3\frac{3}{5}$

11 $3\frac{4}{7}+2\frac{2}{3}$

12 $2\frac{7}{12}+3\frac{5}{8}$

13 $1\frac{9}{10}+3\frac{1}{4}$

14 $3\frac{2}{3}+2\frac{7}{15}$

15 $4\frac{5}{6}+3\frac{7}{8}$

16 $4\frac{13}{15}+3\frac{7}{12}$

사고력 기르기

Step 1

□ 안에 알맞은 자연수를 써넣으시오. (01~08)

01

$3\frac{3}{5}+2\frac{\square}{10}=6\frac{3}{10}$

02

$4\frac{5}{8}+3\frac{\square}{6}=8\frac{11}{24}$

03

$6\frac{7}{10}+2\frac{\square}{15}=9\frac{13}{30}$

04

$3\frac{5}{12}+5\frac{\square}{18}=9\frac{5}{36}$

05

$2\frac{\square}{24}+4\frac{29}{36}=7\frac{7}{72}$

06

$6\frac{\square}{27}+8\frac{31}{45}=15\frac{28}{135}$

07

$9\frac{\square}{28}+5\frac{18}{35}=15\frac{1}{20}$

08

$7\frac{\square}{30}+3\frac{25}{42}=11\frac{38}{105}$

주어진 식에서 ♥가 될 수 있는 자연수 중 가장 작은 수를 구하시오. (단, 대분수에서 분수 부분은 기약분수입니다.) (09~12)

09

$2\frac{♥}{8}+3\frac{3}{4}>6$

♥=□

10

$8\frac{♥}{15}+4\frac{5}{12}>13$

♥=□

11

$6\frac{♥}{20}+9\frac{17}{30}>16$

♥=□

12

$12\frac{♥}{33}+8\frac{9}{22}>21$

♥=□

♥와 ☆에 알맞은 자연수를 각각 구하시오. (단, 대분수에서 분수 부분은 기약분수입니다.) (13~16)

13

$1\frac{\heartsuit}{6}+2\frac{\star}{9}=4\frac{5}{18}$ ➡ $\heartsuit=\square$ $\star=\square$

14

$3\frac{\heartsuit}{12}+4\frac{\star}{16}=8\frac{7}{48}$ ➡ $\heartsuit=\square$ $\star=\square$

15

$5\frac{\heartsuit}{8}+3\frac{\star}{5}=9\frac{9}{40}$ ➡ $\heartsuit=\square$ $\star=\square$

16

$4\frac{\heartsuit}{9}+6\frac{\star}{15}=11\frac{23}{45}$ ➡ $\heartsuit=\square$ $\star=\square$

주어진 6장의 숫자 카드에서 3장씩 뽑아 두 개의 대분수를 만들어 더했을 때 그 합이 가장 크게 되도록 해 보시오. (17~18)

17

1 2 3 4 5 6

$\square\frac{\square}{\square}+\square\frac{\square}{\square}=\square\frac{\square}{\square}$ 또는 $\square\frac{\square}{\square}+\square\frac{\square}{\square}=\square\frac{\square}{\square}$

18

2 3 5 6 7 9

$\square\frac{\square}{\square}+\square\frac{\square}{\square}=\square\frac{\square}{\square}$ 또는 $\square\frac{\square}{\square}+\square\frac{\square}{\square}=\square\frac{\square}{\square}$

사고력 기르기

Step 2

주어진 식을 성립시키는 여러 가지 덧셈식을 만들어 보시오. (단, 대분수에서 분수 부분은 기약분수입니다.) (01~04)

01

$$2\frac{\heartsuit}{11}+4\frac{\star}{22}=7\frac{9}{22}$$

$2\frac{\square}{11}+4\frac{\square}{22}=7\frac{9}{22}$　　$2\frac{\square}{11}+4\frac{\square}{22}=7\frac{9}{22}$

$2\frac{\square}{11}+4\frac{\square}{22}=7\frac{9}{22}$　　$2\frac{\square}{11}+4\frac{\square}{22}=7\frac{9}{22}$

$2\frac{\square}{11}+4\frac{\square}{22}=7\frac{9}{22}$

02

$$7\frac{\heartsuit}{10}+8\frac{\star}{15}=16\frac{13}{30}$$

$7\frac{\square}{10}+8\frac{\square}{15}=16\frac{13}{30}$　　$7\frac{\square}{10}+8\frac{\square}{15}=16\frac{13}{30}$

03

$$5\frac{\heartsuit}{15}+7\frac{\star}{9}=13\frac{1}{45}$$

$5\frac{\square}{15}+7\frac{\square}{9}=13\frac{1}{45}$　　$5\frac{\square}{15}+7\frac{\square}{9}=13\frac{1}{45}$

04

$$3\frac{\heartsuit}{28}+3\frac{\star}{35}=9\frac{17}{140}$$

$3\frac{\square}{28}+5\frac{\square}{35}=9\frac{17}{140}$　　$3\frac{\square}{28}+5\frac{\square}{35}=9\frac{17}{140}$

$3\frac{\square}{28}+5\frac{\square}{35}=9\frac{17}{140}$　　$3\frac{\square}{28}+5\frac{\square}{35}=9\frac{17}{140}$

Step 2

$\heartsuit$가 될 수 있는 자연수 중 가장 작은 수와 그때의 $\star$의 값을 각각 구하시오. (단, 대분수에서 분수 부분은 기약분수입니다.) (05~11)

05

$$2\frac{\heartsuit}{9}+5\frac{2}{3}=8\frac{\star}{9}$$

➡ $\heartsuit$= □ $\star$= □

06

$$3\frac{\heartsuit}{5}+2\frac{7}{10}=6\frac{\star}{10}$$

➡ $\heartsuit$= □ $\star$= □

07

$$7\frac{\heartsuit}{7}+2\frac{3}{5}=10\frac{\star}{35}$$

➡ $\heartsuit$= □ $\star$= □

08

$$1\frac{\heartsuit}{11}+3\frac{5}{8}=5\frac{\star}{88}$$

➡ $\heartsuit$= □ $\star$= □

09

$$2\frac{\heartsuit}{13}+3\frac{11}{26}=6\frac{\star}{26}$$

➡ $\heartsuit$= □ $\star$= □

10

$$5\frac{\heartsuit}{8}+2\frac{3}{7}=8\frac{\star}{56}$$

➡ $\heartsuit$= □ $\star$= □

11

$$4\frac{\heartsuit}{10}+4\frac{5}{9}=9\frac{\star}{90}$$

➡ $\heartsuit$= □ $\star$= □

실력 점검

□ 안에 알맞은 수를 써넣으시오. (01~04)

01 $1\frac{2}{3}+2\frac{3}{4}=(1+2)+\left(\frac{\square}{12}+\frac{\square}{12}\right)=\square+\square\frac{\square}{12}=\square\frac{\square}{12}$

02 $2\frac{4}{5}+1\frac{3}{7}=(2+1)+\left(\frac{\square}{35}+\frac{\square}{35}\right)=\square+\square\frac{\square}{35}=\square\frac{\square}{35}$

03 $1\frac{5}{6}+2\frac{1}{4}=\frac{\square}{6}+\frac{\square}{4}=\frac{\square}{12}+\frac{\square}{12}=\frac{\square}{12}=\square\frac{\square}{12}$

04 $1\frac{3}{8}+2\frac{5}{6}=\frac{\square}{8}+\frac{\square}{6}=\frac{\square}{24}+\frac{\square}{24}=\frac{\square}{24}=\square\frac{\square}{24}$

계산을 하시오. (05~14)

05 $1\frac{3}{4}+2\frac{5}{6}$

06 $2\frac{5}{7}+3\frac{5}{8}$

07 $2\frac{7}{10}+3\frac{4}{5}$

08 $2\frac{7}{9}+3\frac{5}{18}$

09 $3\frac{1}{4}+5\frac{4}{5}$

10 $2\frac{1}{6}+3\frac{8}{9}$

11 $2\frac{11}{12}+1\frac{9}{14}$

12 $3\frac{13}{15}+1\frac{4}{9}$

13 $2\frac{17}{18}+1\frac{13}{27}$

14 $1\frac{11}{12}+2\frac{14}{15}$

□ 안에 알맞은 수를 써넣으시오. (15~18)

15 $2\frac{1}{3}+2\frac{\square}{4}=5\frac{1}{12}$

16 $2\frac{4}{5}+4\frac{\square}{10}=7\frac{1}{10}$

17 $1\frac{\square}{8}+3\frac{5}{6}=5\frac{11}{24}$

18 $1\frac{\square}{15}+2\frac{7}{12}=4\frac{9}{20}$

주어진 6장의 숫자 카드에서 3장씩 뽑아 2개의 대분수를 만들어 더했을 때 그 합이 가장 크게 되도록 해 보시오. (19~20)

19

1 2 3 5 7 9

$\square\frac{\square}{\square}+\square\frac{\square}{\square}=\square\frac{\square}{\square}$ 또는 $\square\frac{\square}{\square}+\square\frac{\square}{\square}=\square\frac{\square}{\square}$

20

$\square\frac{\square}{\square}+\square\frac{\square}{\square}=\square\frac{\square}{\square}$ 또는 $\square\frac{\square}{\square}+\square\frac{\square}{\square}=\square\frac{\square}{\square}$

21 주어진 식을 성립시키는 여러 가지 덧셈식을 만들어 보시오. (단, 대분수에서 분수 부분은 기약분수입니다.)

$3\frac{■}{8}+2\frac{▲}{16}=6\frac{1}{16}$

$3\frac{\square}{8}+2\frac{\square}{16}=6\frac{1}{16}$ $3\frac{\square}{8}+2\frac{\square}{16}=6\frac{1}{16}$

$3\frac{\square}{8}+2\frac{\square}{16}=6\frac{1}{16}$ $3\frac{\square}{8}+2\frac{\square}{16}=6\frac{1}{16}$

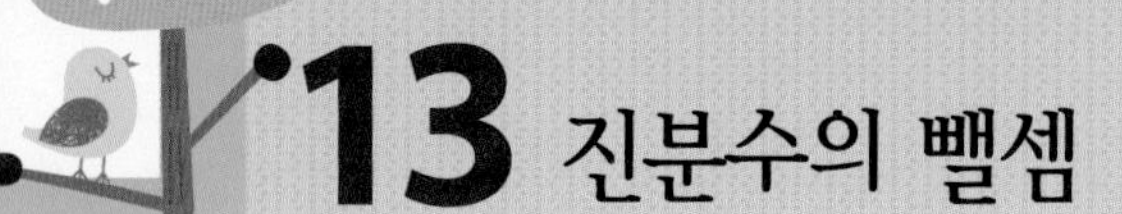

13 진분수의 뺄셈

개념

분수를 통분하여 분모가 같은 분수로 고친 다음 분자끼리 뺍니다.

• 분모의 곱을 이용하여 통분한 후 계산하기

$$\frac{4}{5}-\frac{3}{10}=\frac{40}{50}-\frac{15}{50}=\frac{25}{50}=\frac{1}{2}$$

• 분모의 최소공배수를 이용하여 통분한 후 계산하기

$$\frac{4}{5}-\frac{3}{10}=\frac{8}{10}-\frac{3}{10}=\frac{5}{10}=\frac{1}{2}$$

그림을 보고 □ 안에 알맞은 수를 써넣으시오. (01~02)

01

$\frac{2}{3}=\frac{\square}{6}$

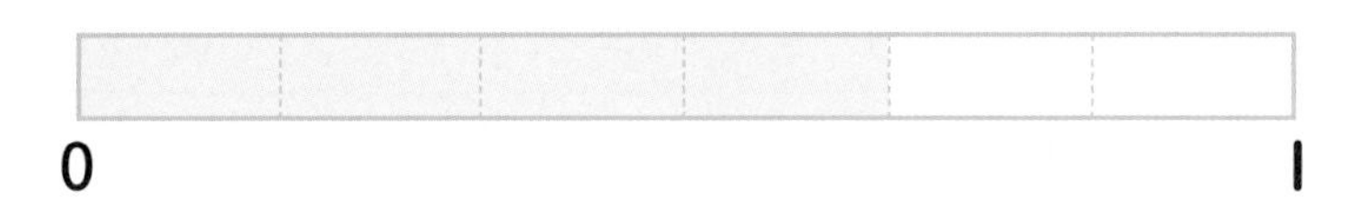

0 1

$\frac{1}{2}=\frac{\square}{6}$

0 1

$$\frac{2}{3}-\frac{1}{2}=\frac{\square}{6}-\frac{\square}{6}=\frac{\square}{6}$$

02

$\frac{3}{4}=\frac{\square}{12}$

0 1

$\frac{1}{6}=\frac{\square}{12}$

0 1

$$\frac{3}{4}-\frac{1}{6}=\frac{\square}{12}-\frac{\square}{12}=\frac{\square}{12}$$

$\frac{3}{4}=\frac{\square}{24}$

0 1

$\frac{1}{6}=\frac{\square}{24}$

0 1

$$\frac{3}{4}-\frac{1}{6}=\frac{\square}{24}-\frac{\square}{24}=\frac{\square}{24}=\frac{\square}{12}$$

□ 안에 알맞은 수를 써넣으시오. (03~06)

03 $\frac{3}{5}-\frac{1}{3}=\frac{\square}{15}-\frac{\square}{15}=\frac{\square}{15}$

04 $\frac{8}{9}-\frac{3}{4}=\frac{\square}{36}-\frac{\square}{36}=\frac{\square}{36}$

05 $\frac{7}{8}-\frac{5}{6}=\frac{\square}{24}-\frac{\square}{24}=\frac{\square}{24}$

06 $\frac{7}{12}-\frac{3}{8}=\frac{\square}{24}-\frac{\square}{24}=\frac{\square}{24}$

계산을 하시오. (07~16)

07 $\frac{5}{6}-\frac{4}{15}$

08 $\frac{5}{8}-\frac{1}{6}$

09 $\frac{7}{9}-\frac{2}{3}$

10 $\frac{4}{5}-\frac{3}{4}$

11 $\frac{8}{15}-\frac{4}{9}$

12 $\frac{7}{8}-\frac{2}{5}$

13 $\frac{11}{14}-\frac{3}{4}$

14 $\frac{9}{10}-\frac{5}{6}$

15 $\frac{9}{10}-\frac{7}{15}$

16 $\frac{3}{8}-\frac{1}{12}$

사고력 기르기

Step 1

$\square$ 안에 알맞은 수를 써넣으시오. (01~06)

01

$$\frac{3}{5}-\frac{\square}{10}=\frac{3}{10}$$

02

$$\frac{5}{6}-\frac{\square}{9}=\frac{1}{18}$$

03

$$\frac{\square}{8}-\frac{2}{3}=\frac{5}{24}$$

04

$$\frac{\square}{12}-\frac{7}{15}=\frac{9}{20}$$

05

$$\frac{\square}{10}-\frac{4}{15}=\frac{19}{30}$$

06

$$\frac{\square}{18}-\frac{5}{24}=\frac{13}{72}$$

주어진 진분수의 뺄셈에서 $\heartsuit$에 알맞은 자연수를 구하시오. (07~12)

07

$$\frac{7}{18}-\frac{3}{\heartsuit}=\frac{43}{180}$$

$\heartsuit=\square$

08

$$\frac{9}{20}-\frac{5}{\heartsuit}=\frac{1}{30}$$

$\heartsuit=\square$

09

$$\frac{7}{24}-\frac{3}{\heartsuit}=\frac{5}{48}$$

$\heartsuit=\square$

10

$$\frac{11}{12}-\frac{2}{\heartsuit}=\frac{31}{60}$$

$\heartsuit=\square$

11

$$\frac{8}{\heartsuit}-\frac{4}{25}=\frac{28}{75}$$

$\heartsuit=\square$

12

$$\frac{13}{\heartsuit}-\frac{9}{40}=\frac{5}{24}$$

$\heartsuit=\square$

☆에 들어갈 수 있는 자연수 중 가장 큰 수를 구하시오. (단, 진분수는 기약분수입니다.) (13~18)

13

$\frac{4}{5}-\frac{☆}{8}>0$

☆=□

14

$\frac{7}{10}-\frac{☆}{12}>0$

☆=□

15

$\frac{5}{8}-\frac{☆}{16}>0$

☆=□

16

$\frac{11}{18}-\frac{☆}{20}>0$

☆=□

17

$\frac{19}{36}-\frac{☆}{24}>0$

☆=□

18

$\frac{13}{21}-\frac{☆}{35}>0$

☆=□

다음은 진분수의 뺄셈식입니다. 계산 결과가 가장 큰 경우와 가장 작은 경우를 각각 구하시오. (19~21)

19

$\frac{♥}{4}-\frac{☆}{5}$ ➡ $\frac{□}{4}-\frac{□}{5}=\frac{□}{□}$, $\frac{□}{4}-\frac{□}{5}=\frac{□}{□}$

20

$\frac{♥}{20}-\frac{☆}{30}$ ➡ $\frac{□}{20}-\frac{□}{30}=\frac{□}{□}$, $\frac{□}{20}-\frac{□}{30}=\frac{□}{□}$

21

$\frac{♥}{9}-\frac{☆}{6}$ ➡ $\frac{□}{9}-\frac{□}{6}=\frac{□}{□}$, $\frac{□}{9}-\frac{□}{6}=\frac{□}{□}$

사고력 기르기

Step 2

주어진 식에서 ♥가 될 수 있는 자연수 중 가장 작은 자연수를 구하시오. (01~04)

01

$$\frac{7}{15}-\frac{3}{20}>\frac{1}{♥}$$

(　　　　　　　　　　)

02

$$\frac{9}{28}-\frac{4}{21}>\frac{1}{♥}$$

(　　　　　　　　　　)

03

$$\frac{15}{32}-\frac{9}{40}>\frac{13}{♥}$$

(　　　　　　　　　　)

04

$$\frac{5}{16}-\frac{5}{24}>\frac{10}{♥}$$

(　　　　　　　　　　)

다음 식이 성립할 때 ♥에 알맞은 수를 구하시오. (05~08)

05

$$\frac{♥}{9}-\frac{♥}{12}=\frac{7}{36}$$

♥=☐

06

$$\frac{♥}{8}-\frac{♥}{16}=\frac{5}{16}$$

♥=☐

07

$$\frac{♥}{14}-\frac{♥}{21}=\frac{11}{42}$$

♥=☐

08

$$\frac{♥}{56}-\frac{♥}{63}=\frac{19}{504}$$

♥=☐

09 $\frac{나}{가}☆\frac{라}{다}=\frac{나}{라}-\frac{가}{다}$로 약속할 때 다음을 계산하시오.

$$\left(\frac{2}{3}☆\frac{5}{8}\right)☆\frac{3}{200}$$

(　　　　　　　　　　)

보기 에서 규칙을 찾아 □ 안에 알맞은 수를 써넣으시오. (10~21)

보기

$$\frac{1}{2}-\frac{1}{3}=\frac{1}{6},\ \frac{1}{3}-\frac{1}{4}=\frac{1}{12},\ \frac{1}{4}-\frac{1}{5}=\frac{1}{20},\ \cdots\cdots$$

10 $\frac{1}{\square}-\frac{1}{\square}=\frac{1}{72}$

11 $\frac{1}{\square}-\frac{1}{\square}=\frac{1}{90}$

12 $\frac{1}{\square}-\frac{1}{\square}=\frac{1}{240}$

13 $\frac{1}{\square}-\frac{1}{\square}=\frac{1}{930}$

14 $\frac{3}{\square}-\frac{3}{\square}=\frac{3}{20}$

15 $\frac{3}{\square}-\frac{3}{\square}=\frac{3}{56}$

16 $\frac{3}{\square}-\frac{3}{\square}=\frac{3}{110}$

17 $\frac{3}{\square}-\frac{3}{\square}=\frac{3}{182}$

18 $\frac{5}{\square}-\frac{5}{\square}=\frac{5}{132}$

19 $\frac{5}{\square}-\frac{5}{\square}=\frac{5}{272}$

20 $\frac{7}{\square}-\frac{7}{\square}=\frac{7}{90}$

21 $\frac{7}{\square}-\frac{7}{\square}=\frac{7}{506}$

실력 점검

□ 안에 알맞은 수를 써넣으시오. (01~04)

01 $\frac{1}{2}-\frac{1}{3}=\frac{\square}{6}-\frac{\square}{6}=\frac{\square}{6}$

02 $\frac{7}{8}-\frac{3}{5}=\frac{\square}{40}-\frac{\square}{40}=\frac{\square}{40}$

03 $\frac{9}{10}-\frac{8}{15}=\frac{\square}{30}-\frac{\square}{30}=\frac{\square}{30}$

04 $\frac{11}{18}-\frac{8}{27}=\frac{\square}{54}-\frac{\square}{54}=\frac{\square}{54}$

계산을 하시오. (05~14)

05 $\frac{5}{6}-\frac{3}{4}$

06 $\frac{7}{12}-\frac{3}{14}$

07 $\frac{8}{9}-\frac{5}{6}$

08 $\frac{11}{13}-\frac{15}{26}$

09 $\frac{17}{25}-\frac{3}{10}$

10 $\frac{13}{18}-\frac{5}{12}$

11 $\frac{7}{10}-\frac{7}{15}$

12 $\frac{4}{5}-\frac{2}{9}$

13 $\frac{11}{16}-\frac{7}{24}$

14 $\frac{9}{14}-\frac{1}{4}$

□ 안에 알맞은 수를 써넣으시오. (15~18)

15 $\frac{4}{5}-\frac{\square}{8}=\frac{17}{40}$

16 $\frac{5}{6}-\frac{\square}{9}=\frac{5}{18}$

17 $\frac{\square}{12}-\frac{5}{6}=\frac{1}{12}$

18 $\frac{\square}{15}-\frac{7}{20}=\frac{31}{60}$

19 다음은 진분수의 뺄셈식입니다. 계산 결과가 가장 큰 경우와 가장 작은 경우를 각각 구하시오.

$\frac{■}{5}-\frac{■}{6}$ ➡

가장 큰 경우 : $\frac{\square}{5}-\frac{\square}{6}=\frac{\square}{\square}$

가장 작은 경우 : $\frac{\square}{5}-\frac{\square}{6}=\frac{\square}{\square}$

다음 식이 성립할 때 ▲에 알맞은 수를 구하시오. (20~21)

20 $\frac{▲}{5}-\frac{▲}{9}=\frac{16}{45}$

▲ = □

21 $\frac{▲}{12}-\frac{▲}{18}=\frac{7}{36}$

▲ = □

보기 에서 규칙을 찾아 □ 안에 알맞은 수를 써넣으시오. (22~23)

보기

$\frac{1}{2}-\frac{1}{3}=\frac{1}{6}$, $\frac{1}{3}-\frac{1}{4}=\frac{1}{12}$, $\frac{1}{4}-\frac{1}{5}=\frac{1}{20}$, ……

22 $\frac{1}{\square}-\frac{1}{\square}=\frac{1}{56}$

23

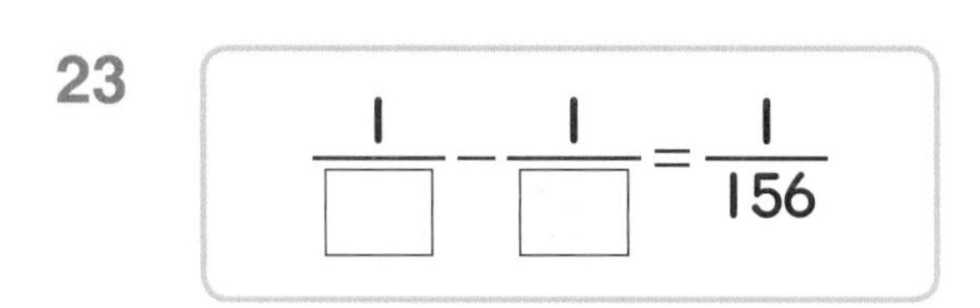

$\frac{1}{\square}-\frac{1}{\square}=\frac{1}{156}$

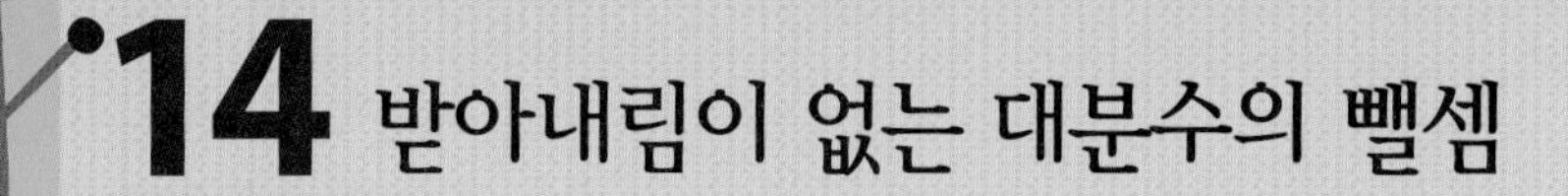

14 받아내림이 없는 대분수의 뺄셈

개념

- 자연수는 자연수끼리, 분수는 분수끼리 빼서 계산하기

$$3\frac{2}{3}-1\frac{1}{4}=(3-1)+\left(\frac{8}{12}-\frac{3}{12}\right)=2+\frac{5}{12}=2\frac{5}{12}$$

- 대분수를 가분수로 고쳐서 계산하기

$$3\frac{2}{3}-1\frac{1}{4}=\frac{11}{3}-\frac{5}{4}=\frac{44}{12}-\frac{15}{12}=\frac{29}{12}=2\frac{5}{12}$$

그림을 보고 □ 안에 알맞은 수를 써넣으시오. (01~02)

01

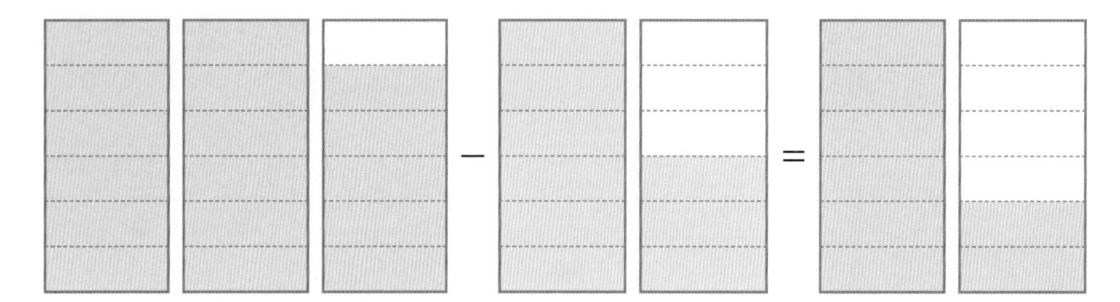

- $2\frac{5}{6}-1\frac{1}{2}=(2-1)+\left(\frac{5}{6}-\frac{\square}{6}\right)=\square+\frac{\square}{6}=\square\frac{\square}{6}=\square\frac{\square}{3}$

- $2\frac{5}{6}-1\frac{1}{2}=\frac{\square}{6}-\frac{\square}{2}=\frac{\square}{12}-\frac{\square}{12}=\frac{\square}{12}=\square\frac{\square}{12}=\square\frac{\square}{3}$

02

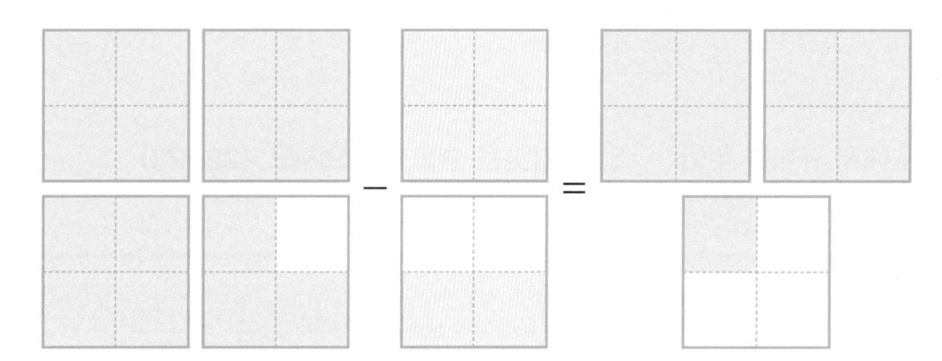

- $3\frac{3}{4}-1\frac{1}{2}=(3-1)+\left(\frac{3}{4}-\frac{\square}{4}\right)=\square+\frac{\square}{4}=\square\frac{\square}{4}$

- $3\frac{3}{4}-1\frac{1}{2}=\frac{\square}{4}-\frac{\square}{2}=\frac{\square}{4}-\frac{\square}{4}=\frac{\square}{4}=\square\frac{\square}{4}$

□ 안에 알맞은 수를 써넣으시오. (03~06)

03 $5\frac{7}{8}-2\frac{3}{4}=(5-2)+\left(\frac{7}{8}-\frac{\square}{8}\right)=\square+\frac{\square}{8}=\square\frac{\square}{8}$

04 $3\frac{4}{5}-2\frac{1}{3}=(3-2)+\left(\frac{\square}{15}-\frac{\square}{15}\right)=\square+\frac{\square}{15}=\square\frac{\square}{15}$

05 $2\frac{3}{4}-1\frac{1}{2}=\frac{\square}{4}-\frac{\square}{2}=\frac{\square}{4}-\frac{\square}{4}=\frac{\square}{4}=\square\frac{\square}{4}$

06 $2\frac{7}{10}-1\frac{1}{5}=\frac{\square}{10}-\frac{\square}{5}=\frac{\square}{10}-\frac{\square}{10}=\frac{\square}{10}=\square\frac{\square}{10}=\square\frac{\square}{2}$

계산을 하시오. (07~16)

07 $3\frac{4}{5}-1\frac{2}{3}$

08 $4\frac{5}{8}-2\frac{1}{4}$

09 $3\frac{11}{15}-1\frac{4}{9}$

10 $5\frac{3}{4}-3\frac{1}{5}$

11 $4\frac{6}{7}-2\frac{1}{2}$

12 $3\frac{2}{5}-1\frac{2}{15}$

13 $6\frac{3}{10}-2\frac{1}{4}$

14 $2\frac{5}{6}-1\frac{3}{4}$

15 $2\frac{2}{3}-1\frac{1}{5}$

16 $7\frac{9}{10}-5\frac{5}{8}$

사고력 기르기

Step 1

다음 뺄셈식에서 $\heartsuit$에 알맞은 자연수를 구하시오. (01~14)

01

$$4\frac{\heartsuit}{9}-\frac{1}{6}=4\frac{7}{18}$$

$\heartsuit=\square$

02

$$5\frac{\heartsuit}{8}-\frac{2}{7}=5\frac{5}{56}$$

$\heartsuit=\square$

03

$$7\frac{\heartsuit}{15}-\frac{7}{25}=7\frac{14}{75}$$

$\heartsuit=\square$

04

$$3\frac{9}{20}-\frac{\heartsuit}{5}=3\frac{1}{20}$$

$\heartsuit=\square$

05

$$9\frac{11}{24}-\frac{\heartsuit}{36}=9\frac{23}{72}$$

$\heartsuit=\square$

06

$$8\frac{7}{22}-\frac{\heartsuit}{33}=8\frac{1}{6}$$

$\heartsuit=\square$

07

$$5\frac{\heartsuit}{4}-3\frac{1}{2}=2\frac{1}{4}$$

$\heartsuit=\square$

08

$$9\frac{\heartsuit}{10}-4\frac{7}{15}=5\frac{13}{30}$$

$\heartsuit=\square$

09

$$6\frac{\heartsuit}{12}-2\frac{4}{15}=4\frac{19}{60}$$

$\heartsuit=\square$

10

$$8\frac{\heartsuit}{16}-3\frac{9}{20}=5\frac{19}{80}$$

$\heartsuit=\square$

11

$$12\frac{4}{5}-\frac{\heartsuit}{9}=12\frac{16}{45}$$

$\heartsuit=\square$

12

$$15\frac{7}{8}-\frac{\heartsuit}{20}=15\frac{9}{40}$$

$\heartsuit=\square$

13

$$18\frac{13}{21}-\frac{\heartsuit}{28}=18\frac{25}{84}$$

$\heartsuit=\square$

14

$$20\frac{19}{36}-\frac{\heartsuit}{48}=20\frac{43}{144}$$

$\heartsuit=\square$

□ 안에 알맞은 수를 써넣으시오. (15~22)

15 $5\frac{5}{\square}-\frac{7}{36}=5\frac{13}{36}$

16 $8\frac{7}{\square}-\frac{5}{12}=8\frac{11}{24}$

17 $4\frac{4}{15}-\frac{1}{\square}=4\frac{19}{90}$

18 $6\frac{7}{12}-\frac{3}{\square}=6\frac{13}{30}$

19 $7\frac{9}{\square}-2\frac{3}{4}=5\frac{3}{20}$

20 $5\frac{5}{\square}-3\frac{7}{20}=2\frac{11}{40}$

21 $4\frac{5}{14}-1\frac{5}{\square}=3\frac{5}{42}$

22 $9\frac{9}{16}-2\frac{7}{\square}=7\frac{13}{48}$

주어진 4장의 숫자 카드 중 3장을 뽑아 만들 수 있는 가장 큰 대분수와 가장 작은 대분수의 차를 구하시오. (23~25)

23 1 2 3 5 ➡ $\square\frac{\square}{\square}-\square\frac{\square}{\square}=\square\frac{\square}{\square}$

24 2 4 5 7 ➡ $\square\frac{\square}{\square}-\square\frac{\square}{\square}=\square\frac{\square}{\square}$

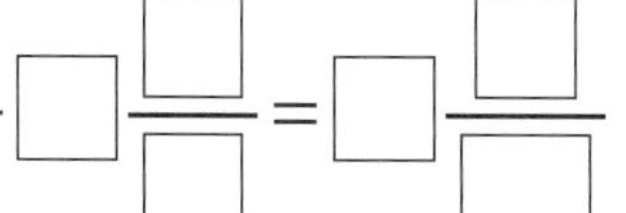

25 3 5 6 9 ➡ $\square\frac{\square}{\square}-\square\frac{\square}{\square}=\square\frac{\square}{\square}$

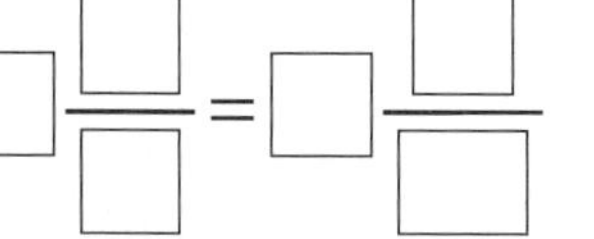

사고력 기르기

Step 2

다음은 대분수의 뺄셈식입니다. ♥와 ☆에 알맞은 자연수를 각각 구하시오. (단, ♥와 ☆은 서로 다른 수이고, 대분수에서 분수 부분은 기약분수입니다.) (01~04)

01 $5\frac{♥}{5}-2\frac{☆}{4}=3\frac{1}{20}$ ➡ ♥= □ ☆= □

02 $7\frac{♥}{8}-3\frac{☆}{12}=4\frac{1}{24}$ ➡ ♥= □ ☆= □

03 $9\frac{♥}{12}-4\frac{☆}{18}=5\frac{11}{36}$ ➡ ♥= □ ☆= □

04 $6\frac{♥}{9}-1\frac{☆}{15}=5\frac{4}{45}$ ➡ ♥= □ ☆= □

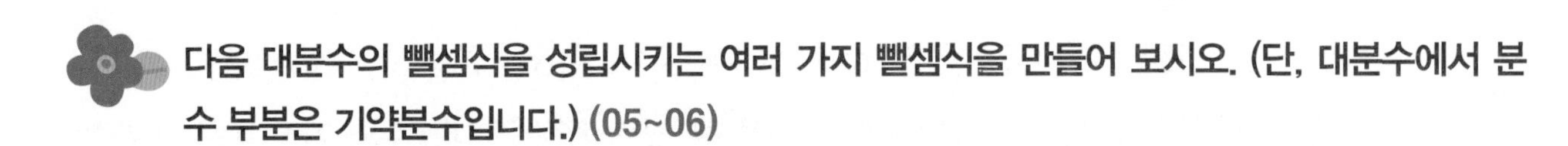

다음 대분수의 뺄셈식을 성립시키는 여러 가지 뺄셈식을 만들어 보시오. (단, 대분수에서 분수 부분은 기약분수입니다.) (05~06)

05 $8\frac{▲}{25}-2\frac{◆}{20}=6\frac{21}{100}$

$8\frac{□}{25}-2\frac{□}{20}=6\frac{21}{100}$

$8\frac{□}{25}-2\frac{□}{20}=6\frac{21}{100}$

$8\frac{□}{25}-2\frac{□}{20}=6\frac{21}{100}$

06 $12\frac{▲}{32}-5\frac{◆}{40}=7\frac{19}{160}$

$12\frac{□}{32}-5\frac{□}{40}=7\frac{19}{160}$

$12\frac{□}{32}-5\frac{□}{40}=7\frac{19}{160}$

$12\frac{□}{32}-5\frac{□}{40}=7\frac{19}{160}$

Step 2

다음 대분수의 뺄셈식을 성립시키는 여러 가지 뺄셈식을 만들어 보시오. (단, 대분수에서 분수 부분은 기약분수입니다.) (07~11)

07

$5\frac{5}{8}-2\frac{1}{\heartsuit}=3\frac{\star}{40}$

$5\frac{5}{8}-2\frac{1}{\square}=3\frac{\square}{40}$

$5\frac{5}{8}-2\frac{1}{\square}=3\frac{\square}{40}$ $\quad$ $5\frac{5}{8}-2\frac{1}{\square}=3\frac{\square}{40}$

08

$4\frac{2}{3}-3\frac{5}{\heartsuit}=1\frac{\star}{24}$

$4\frac{2}{3}-3\frac{5}{\square}=1\frac{\square}{24}$ $\quad$ $4\frac{2}{3}-3\frac{5}{\square}=1\frac{\square}{24}$

09

$3\frac{3}{5}-1\frac{2}{\heartsuit}=2\frac{\star}{35}$

$3\frac{3}{5}-1\frac{2}{\square}=2\frac{\square}{35}$ $\quad$ $3\frac{3}{5}-1\frac{2}{\square}=2\frac{\square}{35}$

10

$8\frac{5}{6}-2\frac{1}{\heartsuit}=6\frac{\star}{30}$

$8\frac{5}{6}-2\frac{1}{\square}=6\frac{\square}{30}$ $\quad$ $8\frac{5}{6}-2\frac{1}{\square}=6\frac{\square}{30}$

11

$9\frac{11}{12}-4\frac{7}{\heartsuit}=5\frac{\star}{60}$

$9\frac{11}{12}-4\frac{7}{\square}=5\frac{\square}{60}$ $\quad$ $9\frac{11}{12}-4\frac{7}{\square}=5\frac{\square}{60}$

실력 점검

□ 안에 알맞은 수를 써넣으시오. (01~04)

01 $4\frac{4}{5}-2\frac{1}{3}=(4-2)+\left(\frac{\square}{15}-\frac{\square}{15}\right)=\square+\frac{\square}{15}=\square\frac{\square}{15}$

02 $3\frac{7}{8}-1\frac{5}{6}=(3-1)+\left(\frac{\square}{24}-\frac{\square}{24}\right)=\square+\frac{\square}{24}=\square\frac{\square}{24}$

03 $2\frac{2}{3}-1\frac{1}{2}=\frac{\square}{3}-\frac{\square}{2}=\frac{\square}{6}-\frac{\square}{6}=\frac{\square}{6}=\square\frac{\square}{6}$

04 $3\frac{3}{5}-1\frac{1}{4}=\frac{\square}{5}-\frac{\square}{4}=\frac{\square}{20}-\frac{\square}{20}=\frac{\square}{20}=\square\frac{\square}{20}$

계산을 하시오. (05~14)

05 $6\frac{3}{4}-2\frac{1}{5}$

06 $3\frac{7}{9}-1\frac{3}{8}$

07 $2\frac{6}{7}-1\frac{2}{3}$

08 $8\frac{9}{10}-6\frac{3}{4}$

09 $3\frac{4}{5}-1\frac{1}{2}$

10 $7\frac{4}{5}-3\frac{3}{10}$

11 $6\frac{11}{12}-3\frac{5}{8}$

12 $3\frac{17}{18}-1\frac{13}{27}$

13 $5\frac{14}{15}-2\frac{5}{6}$

14 $6\frac{19}{25}-3\frac{8}{15}$

실력 점검

□ 안에 알맞은 수를 써넣으시오. (15~18)

15 $3\frac{\square}{4}-\frac{1}{2}=3\frac{1}{4}$

16 $3\frac{7}{8}-\frac{\square}{6}=3\frac{1}{24}$

17 $8\frac{9}{10}-4\frac{\square}{15}=4\frac{13}{30}$

18 $5\frac{\square}{5}-2\frac{3}{10}=3\frac{1}{2}$

주어진 4장의 숫자 카드 중 3장을 뽑아 만들 수 있는 가장 큰 대분수와 가장 작은 대분수의 차를 구하시오. (19~20)

19 | 1 | 3 | 5 | 7 | ➡ $\square\frac{\square}{\square}-\square\frac{\square}{\square}=\square\frac{\square}{\square}$

20 | 2 | 5 | 8 | 9 | ➡ $\square\frac{\square}{\square}-\square\frac{\square}{\square}=\square\frac{\square}{\square}$

다음은 대분수의 뺄셈식입니다. ♥와 ☆에 알맞은 자연수를 각각 구하시오. (21~22)

21 $4\frac{♥}{6}-2\frac{☆}{5}=2\frac{1}{30}$ ➡ ♥ = □ ☆ = □

22 $8\frac{♥}{8}-3\frac{☆}{10}=5\frac{9}{40}$ ➡ ♥ = □ ☆ = □

23 다음 대분수의 뺄셈식을 성립시키는 여러 가지 뺄셈식을 만들어 보시오.

$7\frac{■}{9}-5\frac{▲}{12}=2\frac{5}{36}$

$7\frac{\square}{9}-5\frac{\square}{12}=2\frac{5}{36}$

$7\frac{\square}{9}-5\frac{\square}{12}=7\frac{5}{36}$

$7\frac{\square}{9}-5\frac{\square}{12}=2\frac{5}{36}$

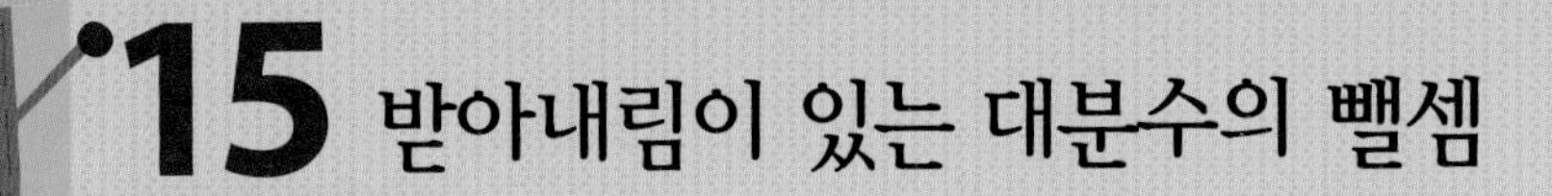

15 받아내림이 있는 대분수의 뺄셈

개념

• 자연수는 자연수끼리, 분수는 분수끼리 빼서 계산하기

$$2\frac{2}{5}-1\frac{1}{2}=2\frac{4}{10}-1\frac{5}{10}=1\frac{14}{10}-1\frac{5}{10}$$

$$=(1-1)+\left(\frac{14}{10}-\frac{5}{10}\right)=\frac{9}{10}$$

• 대분수를 가분수로 고쳐서 계산하기

$$2\frac{2}{5}-1\frac{1}{2}=\frac{12}{5}-\frac{3}{2}=\frac{24}{10}-\frac{15}{10}=\frac{9}{10}$$

그림을 보고 □ 안에 알맞은 수를 써넣으시오. (01~02)

01

$$\cdot\ 2\frac{1}{4}-1\frac{1}{2}=2\frac{1}{4}-1\frac{\square}{4}=1\frac{\square}{4}-1\frac{\square}{4}$$

$$=(1-1)+\left(\frac{\square}{4}-\frac{\square}{4}\right)=\frac{\square}{4}$$

$$\cdot\ 2\frac{1}{4}-1\frac{1}{2}=\frac{\square}{4}-\frac{\square}{2}=\frac{\square}{4}-\frac{\square}{4}=\frac{\square}{4}$$

02

$$\cdot\ 3\frac{1}{6}-1\frac{2}{3}=3\frac{1}{6}-1\frac{\square}{6}=2\frac{\square}{6}-1\frac{\square}{6}$$

$$=\square+\frac{\square}{6}=\square\frac{\square}{6}=\square\frac{\square}{2}$$

$$\cdot\ 3\frac{1}{6}-1\frac{2}{3}=\frac{\square}{6}-\frac{\square}{3}=\frac{\square}{6}-\frac{\square}{6}=\frac{\square}{6}=\square\frac{\square}{6}=\square\frac{\square}{2}$$

□ 안에 알맞은 수를 써넣으시오. (03~06)

03 $4\frac{1}{2}-2\frac{3}{5}=4\frac{\square}{10}-2\frac{\square}{10}=3\frac{\square}{10}-2\frac{\square}{10}=\square\frac{\square}{10}$

04 $3\frac{1}{4}-1\frac{5}{8}=3\frac{\square}{8}-1\frac{5}{8}=2\frac{\square}{8}-1\frac{\square}{8}=\square\frac{\square}{8}$

05 $3\frac{1}{5}-1\frac{1}{3}=\frac{\square}{5}-\frac{\square}{3}=\frac{\square}{15}-\frac{\square}{15}=\frac{\square}{15}=\square\frac{\square}{15}$

06 $2\frac{1}{4}-1\frac{9}{10}=\frac{\square}{4}-\frac{\square}{10}=\frac{\square}{20}-\frac{\square}{20}=\frac{\square}{20}$

계산을 하시오. (07~16)

07 $5\frac{3}{8}-3\frac{5}{6}$

08 $9\frac{3}{8}-3\frac{4}{5}$

09 $4\frac{7}{12}-1\frac{5}{8}$

10 $9\frac{1}{4}-5\frac{7}{10}$

11 $7\frac{2}{5}-2\frac{5}{7}$

12 $4\frac{1}{6}-1\frac{4}{9}$

13 $7\frac{8}{15}-3\frac{2}{3}$

14 $5\frac{1}{8}-1\frac{11}{12}$

15 $5\frac{4}{9}-2\frac{5}{7}$

16 $4\frac{1}{18}-1\frac{5}{12}$

사고력 기르기

Step 1

주어진 뺄셈식에서 ☆에 알맞은 자연수를 구하시오. (01~12)

01

$5\frac{1}{4}-\frac{☆}{5}=4\frac{13}{20}$

☆=□

02

$4\frac{3}{8}-\frac{☆}{9}=3\frac{59}{72}$

☆=□

03

$7\frac{1}{6}-\frac{☆}{10}=6\frac{7}{15}$

☆=□

04

$9\frac{2}{5}-\frac{☆}{20}=8\frac{19}{20}$

☆=□

05

$3\frac{☆}{9}-\frac{4}{7}=2\frac{41}{63}$

☆=□

06

$6\frac{☆}{12}-\frac{11}{15}=5\frac{41}{60}$

☆=□

07

$8\frac{7}{15}-2\frac{☆}{18}=5\frac{47}{90}$

☆=□

08

$10\frac{3}{20}-9\frac{☆}{30}=\frac{47}{60}$

☆=□

09

$15\frac{5}{8}-12\frac{☆}{20}=2\frac{39}{40}$

☆=□

10

$20\frac{9}{16}-8\frac{☆}{24}=11\frac{37}{48}$

☆=□

11

$24\frac{☆}{25}-9\frac{8}{15}=14\frac{53}{75}$

☆=□

12

$18\frac{☆}{24}-8\frac{11}{36}=9\frac{65}{72}$

☆=□

주어진 식에서 ♥가 될 수 있는 자연수를 모두 구하시오. (단, 대분수에서 분수 부분은 기약분수입니다.) (13~24)

13

$$5\frac{\heartsuit}{5}-\frac{7}{9}<5$$

( )

14

$$4\frac{\heartsuit}{8}-\frac{2}{3}<4$$

( )

15

$$6\frac{\heartsuit}{12}-\frac{4}{9}<6$$

( )

16

$$8\frac{\heartsuit}{15}-\frac{5}{8}<8$$

( )

17

$$7\frac{\heartsuit}{9}-\frac{5}{7}<7$$

( )

18

$$3\frac{\heartsuit}{20}-\frac{11}{15}<3$$

( )

19

$$9\frac{\heartsuit}{18}-2\frac{3}{5}<7$$

( )

20

$$8\frac{\heartsuit}{14}-3\frac{13}{21}<5$$

( )

21

$$12\frac{\heartsuit}{13}-6\frac{3}{8}<6$$

( )

22

$$16\frac{\heartsuit}{16}-9\frac{7}{10}<7$$

( )

23

$$20\frac{2}{5}-10\frac{\heartsuit}{18}<10$$

( )

24

$$33\frac{3}{11}-22\frac{\heartsuit}{24}<11$$

( )

사고력 기르기

Step 2

다음과 같이 대분수의 차가 정해질 때 ♡와 ☆에 알맞은 자연수를 각각 구하시오. (단, 대분수에서 분수 부분은 기약분수입니다.). (01~07)

01 $8\frac{♡}{8}-3\frac{☆}{7}=4\frac{29}{56}$ ➡ ♡=□ ☆=□

02 $9\frac{♡}{9}-2\frac{☆}{10}=6\frac{47}{90}$ ➡ ♡=□ ☆=□

03 $13\frac{♡}{12}-9\frac{☆}{15}=3\frac{41}{60}$ ➡ ♡=□ ☆=□

04 $16\frac{♡}{18}-8\frac{☆}{20}=7\frac{77}{180}$ ➡ ♡=□ ☆=□

05 $5\frac{♡}{8}-2\frac{☆}{12}=2\frac{19}{24}$ ➡ ♡=□ ☆=□

06 $15\frac{♡}{16}-8\frac{☆}{30}=6\frac{163}{240}$ ➡ ♡=□ ☆=□

07 $20\frac{♡}{15}-10\frac{☆}{24}=9\frac{29}{40}$ ➡ ♡=□ ☆=□

주어진 6장의 숫자 카드에서 3장씩 뽑아 두 개의 대분수를 만들어 뺐을 때 그 차가 0보다 크고 1보다 작은 경우의 식을 모두 만들어 보시오. (단, 대분수에서 분수 부분은 기약분수입니다.) (08~09)

08

1	2	3	4	5	6

$0<\square\frac{\square}{\square}-\square\frac{\square}{\square}<1$ $0<\square\frac{\square}{\square}-\square\frac{\square}{\square}<1$

$0<\square\frac{\square}{\square}-\square\frac{\square}{\square}<1$ $0<\square\frac{\square}{\square}-\square\frac{\square}{\square}<1$

$0<\square\frac{\square}{\square}-\square\frac{\square}{\square}<1$ $0<\square\frac{\square}{\square}-\square\frac{\square}{\square}<1$

$0<\square\frac{\square}{\square}-\square\frac{\square}{\square}<1$ $0<\square\frac{\square}{\square}-\square\frac{\square}{\square}<1$

09

3	5	6	7	8	9

$0<\square\frac{\square}{\square}-\square\frac{\square}{\square}<1$ $0<\square\frac{\square}{\square}-\square\frac{\square}{\square}<1$

$0<\square\frac{\square}{\square}-\square\frac{\square}{\square}<1$ $0<\square\frac{\square}{\square}-\square\frac{\square}{\square}<1$

$0<\square\frac{\square}{\square}-\square\frac{\square}{\square}<1$ $0<\square\frac{\square}{\square}-\square\frac{\square}{\square}<1$

실력 점검

□ 안에 알맞은 수를 써넣으시오. (01~04)

01 $3\frac{1}{6}-1\frac{2}{5}=3\frac{\square}{30}-1\frac{\square}{30}=2\frac{\square}{30}-1\frac{\square}{30}=\square\frac{\square}{30}$

02 $4\frac{3}{8}-2\frac{5}{6}=4\frac{\square}{24}-2\frac{\square}{24}=3\frac{\square}{24}-2\frac{\square}{24}=\square\frac{\square}{24}$

03 $2\frac{1}{5}-1\frac{2}{3}=\frac{\square}{5}-\frac{\square}{3}=\frac{\square}{15}-\frac{\square}{15}=\frac{\square}{15}$

04 $3\frac{1}{4}-1\frac{7}{10}=\frac{\square}{4}-\frac{\square}{10}=\frac{\square}{20}-\frac{\square}{20}=\frac{\square}{20}=\square\frac{\square}{20}$

계산을 하시오. (05~14)

05 $3\frac{3}{4}-2\frac{4}{5}$

06 $7\frac{1}{6}-5\frac{1}{4}$

07 $5\frac{2}{9}-2\frac{6}{7}$

08 $8\frac{3}{8}-2\frac{3}{5}$

09 $3\frac{1}{4}-2\frac{9}{10}$

10 $3\frac{1}{5}-1\frac{3}{4}$

11 $6\frac{1}{12}-3\frac{3}{8}$

12 $3\frac{5}{6}-1\frac{8}{9}$

13 $3\frac{7}{18}-1\frac{11}{12}$

14 $5\frac{5}{18}-2\frac{17}{27}$

실력 점검

주어진 뺄셈식에서 ☆에 알맞은 자연수를 구하시오. (15~18)

15

$$3\frac{1}{6}-\frac{☆}{3}=2\frac{1}{2}$$

☆=□

16

$$7\frac{3}{8}-\frac{☆}{5}=6\frac{23}{40}$$

☆=□

17

$$5\frac{1}{4}-2\frac{☆}{10}=2\frac{7}{20}$$

☆=□

18

$$3\frac{7}{12}-1\frac{☆}{8}=1\frac{23}{24}$$

☆=□

주어진 식에서 ■가 될 수 있는 자연수를 모두 구하시오. (단, 대분수에서 분수 부분은 기약분수입니다.) (19~22)

19

$$4\frac{■}{4}-\frac{7}{8}<4$$

(　　　　　　　　)

20

$$7\frac{■}{8}-\frac{4}{5}<7$$

(　　　　　　　　)

21

$$7\frac{■}{9}-3\frac{8}{15}<4$$

(　　　　　　　　)

22

$$9\frac{■}{12}-3\frac{11}{18}<6$$

(　　　　　　　　)

다음과 같이 대분수의 차가 정해질 때 ■와 ▲에 알맞은 자연수를 각각 구하시오. (단, ■와 ▲는 서로 다른 수이고 대분수에서 분수 부분은 기약분수입니다.) (23~24)

23

$$4\frac{■}{12}-1\frac{▲}{8}=2\frac{23}{24}$$

■=□　▲=□

24

$$7\frac{■}{18}-3\frac{▲}{12}=3\frac{25}{36}$$

■=□　▲=□

Memo

정답 및 해설

5학년 상권

개념 01 덧셈과 뺄셈, 곱셈과 나눗셈이 섞여 있는 식의 계산

4쪽

01 88, 70　　02 36, 18
03 18, 38　　04 12, 36
05 20, 40, 44　　06 5, 10, 5, 50
07 57 / 78, 57　　08 16 / 48, 16
09 50 / 38, 50　　10 26 / 13, 26
11 17 / 36, 14, 17　　12 16 / 2, 64, 16
13 55　　14 22
15 35　　16 48
17 65　　18 75
19 21　　20 36

사고력 기르기 Step 1

6쪽

01 50 −(20 + 5)= 25
02 40 ÷(5 × 4)= 2
03 30　　04 16
05 4　　06 7
07 1, 2, 3, 4, 5, 6, 7, 8
08 1, 2, 3　　09 1, 2, 3, 4, 5
10 1, 2, 3, 4　　11 23
12 54　　13 4
14 20　　15 3
16 8　　17 46

사고력 기르기 Step 2

8쪽

01 10　　02 12
03 16　　04 44
05 4　　06 25
07 14　　08 8
09 7
10 4, 2, 8, 10 / 8, 2, 4, 10
10, 2, 4, 8 / 8, 4, 2, 10
10, 4, 2, 8 / 10, 8, 2, 4
11 8, 5, 10, 15 / 10, 8, 5, 15
15, 8, 5, 10 / 15, 10, 5, 8
12 16, 2, 1 / 12, 3, 2
16, 4, 2 / 10, 5, 4
12, 6, 4 / 14, 7, 4
16, 8, 4 / 18, 9, 4

01 40♥(20♥5)=40♥(20÷5×2)
=4♥8
=40÷8×2=10

12 ▲는 8 이하의 자연수이면서 동시에 8로 나누어떨어지는 수이어야 하므로 ▲는 1, 2, 4, 8입니다. 이 중 주어진 조건에 맞는 경우를 찾아 문제를 해결합니다.

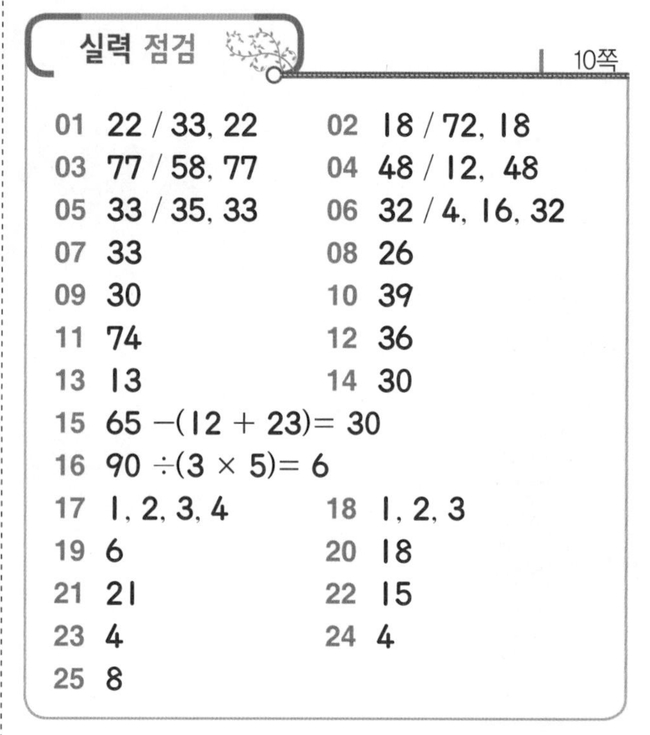

실력 점검

10쪽

01 22 / 33, 22　　02 18 / 72, 18
03 77 / 58, 77　　04 48 / 12, 48
05 33 / 35, 33　　06 32 / 4, 16, 32
07 33　　08 26
09 30　　10 39
11 74　　12 36
13 13　　14 30
15 65 −(12 + 23)= 30
16 90 ÷(3 × 5)= 6
17 1, 2, 3, 4　　18 1, 2, 3
19 6　　20 18
21 21　　22 15
23 4　　24 4
25 8

개념 02 덧셈, 뺄셈, 곱셈이 섞여 있는 식의 계산

12쪽

01 12, 30, 15　　02 42, 6, 17
03 6, 48, 60　　04 3, 30, 45
05 23 / 22, 41, 23　　06 25 / 36, 18, 25
07 43 / 4, 28, 43　　08 64 / 7, 14, 64
09 18+12×5−15=63
①
②
③

10 $29-11\times2+18=25$

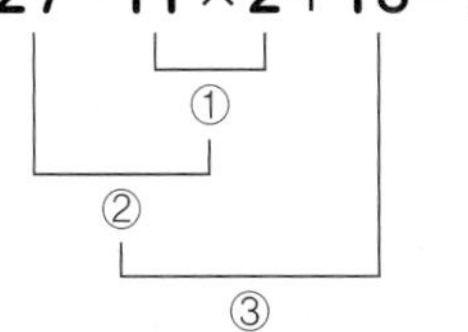

11 $14+(19-11)\times6=62$

12 $15\times(8-3)+10=85$

13 18 14 21
15 28 16 69
17 37 18 62
19 70 20 85

사고력 기르기
Step 1 | 14쪽

01 $2\times(48-18)+30=90$
02 $24+60\times(10-8)=144$
03 5 04 100
05 15 06 7개
07 9개 08 22개
09 4개 10 18, 3
11 15, 16 12 7, 9
13 40, 58 14 17, 29
15 11, 22 16 6, 10

사고력 기르기
Step 2 | 16쪽

01 21 02 491
03 405 04 815
05 6, 3 06 10, 5
07 8, 4 08 18, 9
09 16, 8 10 5, 6, 7, 8
11 8, 9, 10 12 4, 5, 6, 7, 8, 9
13 3, 6, 2, 1
14 3, 4, 6, 5(또는 3, 5, 6, 4)
15 8, 2, 7, 5
16 2, 9, 8, 3(또는 2, 3, 8, 9)
17 2, 8, 4, 3

01 (2☆3)☆4=(2+6−3)☆4
=5☆4
=5+20−4=21

10 58=5+14×♡−3으로 생각하면
14×♡=56, ♡=4이고,
5+14×♡−3=128로 생각하면
14×♡=126, ♡=9이므로
♡가 될 수 있는 수는 5, 6, 7, 8입니다.

실력 점검
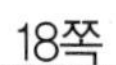
18쪽

01 $12+5\times6-10=32$

02 $38-7\times3+5=22$

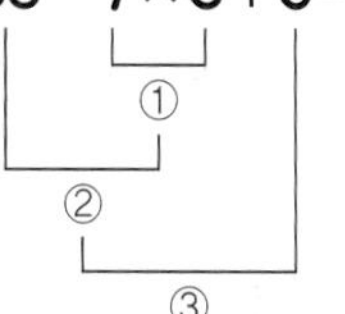

03 $9+(17-5)\times4=57$

04 $12\times(9-5)+12=60$

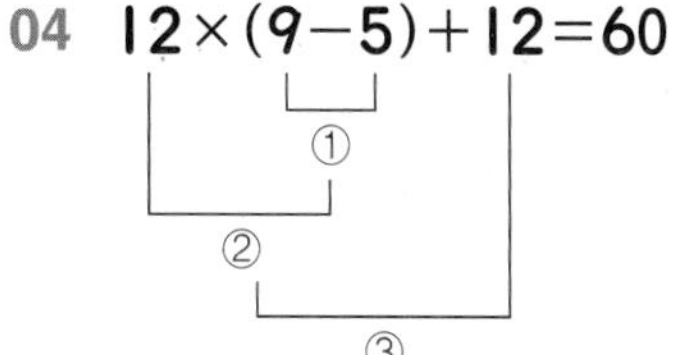

05 39 06 34
07 39 08 69
09 54 10 117
11 80 12 104
13 $4\times(25-11)+20=76$
14 $28+12\times(15-9)=100$

15	3개	16	5개
17	61	18	21
19	281	20	153
21	10, 5	22	30, 15

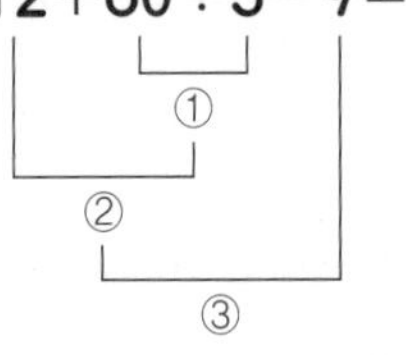

개념 03 덧셈, 뺄셈, 나눗셈이 섞여 있는 식의 계산 | 20쪽

01	2, 6, 1	02	6, 19, 24
03	35, 7, 3	04	12, 3, 15
05	21 / 9, 27, 21	06	52 / 6, 42, 52
07	44 / 16, 4, 44	08	18 / 34, 2, 18

09 $12+60\div5-9=15$

① ② ③

10 $15-64\div8+3=10$

① ② ③

11 $30-45\div(5+4)=25$

① ② ③

12 $(28-4)\div6+16=20$

① ② ③

13	17	14	18
15	23	16	49
17	22	18	9
19	40	20	27

사고력 기르기 Step 1 | 22쪽

01 $60 \div(4 + 6)-2 = 4$

02 $(28 - 16)\div 2 + 20 = 26$

03	30	04	7
05	20	06	12
07	50		
08	83, 84, 85, 86, 87		
09	44, 45, 46, 47	10	6, 7, 5
11	7, 8, 31	12	60, 61, 14
13	65, 66, 56	14	20, 21, 18
15	15, 16, 56	16	24, 25, 20

사고력 기르기 Step 2 | 24쪽

01	49	02	61
03	25	04	73
05	30, 10	06	54, 18
07	108, 36	08	15, 5
09	27, 9	10	54, 60, 66, 72
11	75, 80, 85	12	14, 15, 16

13 $50-10+60\div6-8$
$=50-10-8+60\div6$
$=32+10=42$

14 $14+13-72\div8-11$
$=14+13-11-72\div8$
$=16-9=7$

15 $38-56\div7-8+10$
$=38-8+10-56\div7$
$=40-8=32$

16 $62-21-81\div9+19$
$=62-21+19-81\div9$
$=60-9=51$

01 $(5♥10)♥39=(5-10\div5+10)♥39$
$=13♥39$
$=13-39\div13+39=49$

05 $♥+☆\div5=32$, $☆\times3+☆\div5=32$이고
$☆\div5$의 결과는 자연수이어야 하므로 ☆은 5, 10, 15, ……입니다.
이 중 조건에 맞는 ☆은 10입니다.

10 $11+5-♥\div6$의 계산 결과가 4, 5, 6, 7인 경우를 구합니다.
$11+5-♥\div6=4$에서 $♥=72$,

$11+5-♡\div6=5$에서 $♡=66$,
$11+5-♡\div6=6$에서 $♡=60$,
$11+5-♡\div6=7$에서 $♡=54$입니다.

실력 점검

26쪽

01 $18+78\div6-5=26$

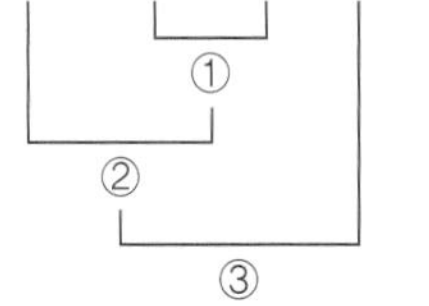

02 $19-96\div8+3=10$

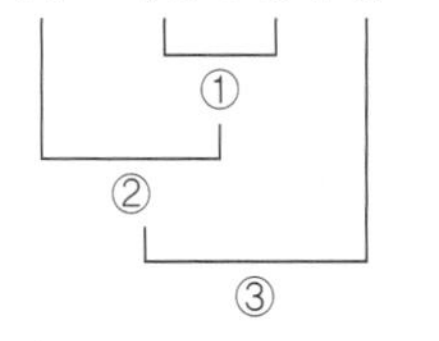

03 $65-84\div(7+5)=58$

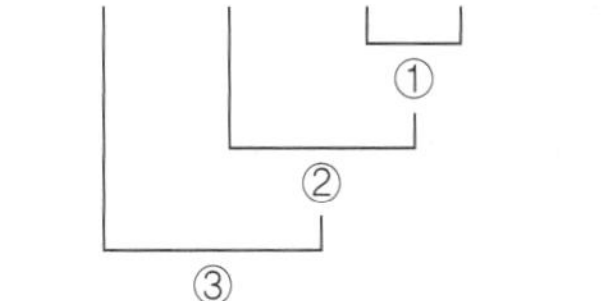

04 $(64-4)\div5+18=30$

05 15　　06 20
07 32　　08 94
09 30　　10 2
11 28　　12 59
13 $24\div(12-8)+5=11$
14 $(27-12)\div3+20=25$
15 66, 67, 68　　16 16, 17
17 10　　18 9
19 37　　20 31
21 24, 8　　22 27, 9

개념 04 덧셈, 뺄셈, 곱셈, 나눗셈이 섞여 있는 식의 계산

28쪽

01 18, 6, 14, 9　　02 21, 105, 15, 35
03 52 / 5, 32, 20, 52
04 76 / 46, 5, 30, 76
05 5 / 23, 9, 18, 5
06 63 / 12, 3, 51, 63
07 $8+64\div16\times3-5=15$

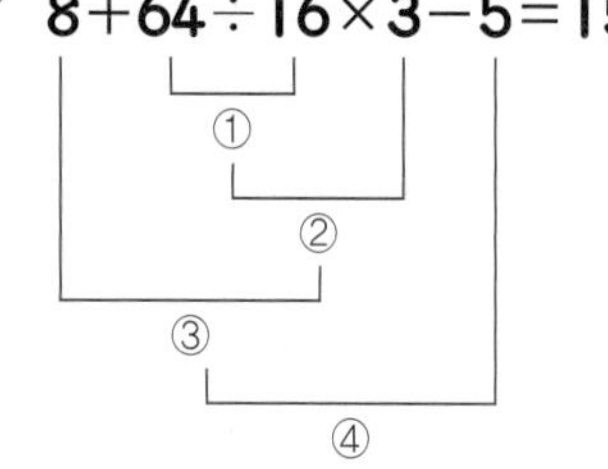

08 $34+15-72\div6\times4=1$

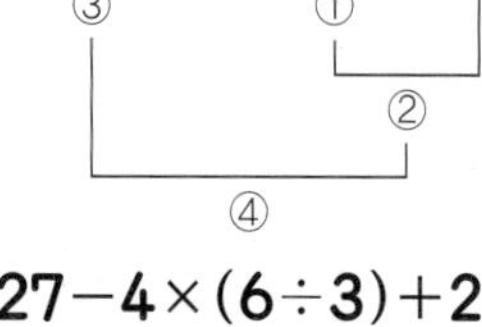

09 $27-4\times(6\div3)+2=21$

10 $(45-3)\div7+4\times8=38$

11 42　　12 8
13 55　　14 14
15 53　　16 43
17 10　　18 72

사고력 기르기

Step 1 | 30쪽

01 $51-15\div(3+2)\times7=30$
02 $40\div5+3\times(10-6)=20$
03 45　　04 4
05 7　　06 18
07 30　　08 10
09 96　　10 25
11 $80-64\div2\div2\div2\times5+11$
$=80-64\div(2\times2\times2)\times5+11$
$=80-64\div8\times5+11$
$=80-40+11=51$

12 $9+81\div3\div3\div3\div3\times2-5$
$=9+81\div(3\times3\times3\times3)\times2-5$
$=9+81\div81\times2-5$
$=9+2-5=6$

13 $200-128\div4\div4\div4+2\times6$
$=200-128\div(4\times4\times4)+2\times6$
$=200-128\div64+12$
$=200-2+12=210$

14 $19+5\times6-625\div5\div5\div5$
$=19+30-625\div(5\times5\times5)$
$=19+30-625\div125$
$=19+30-5=44$

07 $55-$♡$\div3<46$에서 ♡$\div3$은 $55-46=9$보다 커야 하므로 ♡는 $3\times9=27$보다 큰 수입니다. 따라서 구하는 ♡는 $27+3=30$입니다.

사고력 기르기

Step 2 | 32쪽

01 $36-(24\div3+9)\times2=2$
$36-(24\div3+9\times2)=10$
$(36-24)\div3+9\times2=22$
$36-24\div(3+9)\times2=32$
$(36-24\div3+9)\times2=74$

02 $(8\times9-3+27)\div3=32$
$8\times(9-3)+27\div3=57$
$8\times9-(3+27\div3)=60$
$8\times9-(3+27)\div3=62$
$8\times(9-3+27)\div3=88$
$8\times(9-3+27\div3)=120$

03 6, 3, 1
04 12, 6, 2
05 30, 15, 5
06 9
07 3
08 92
09 160
10 예 $9\times(7+5)-3\div1=105$
11 예 $8\times(7+6)-4\div2=102$
12 예 $9\times(6+5)-4\div2=97$
13 예 $9\times(8+7)-6\div3=133$

03 $18\div$♡에서 ♡가 될 수 있는 수는 1, 2, 3, 6, 9, 18이고 이 중 조건에 맞는 ♡는 6입니다. 따라서 $30-18\div6+3\times1=30$을 만족합니다.

실력 점검

| 34쪽

01 $16+56\div8\times2-9=21$

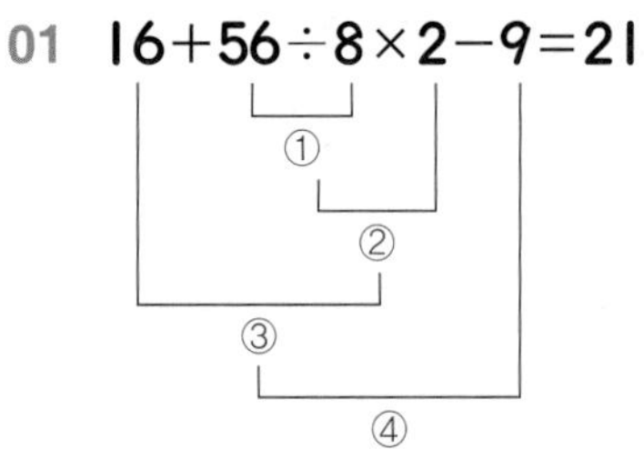

02 $26+34-72\div9\times3=36$

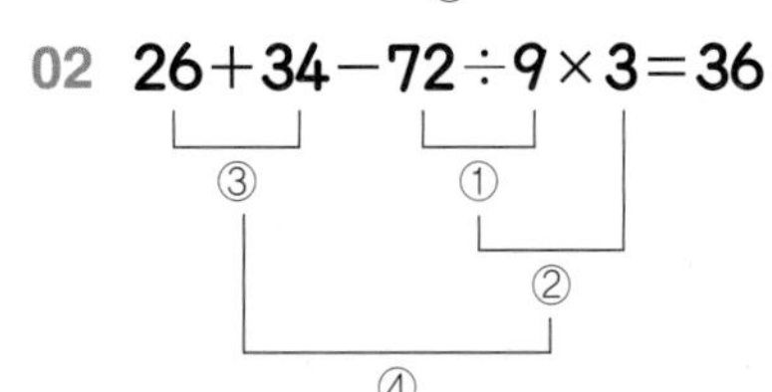

03 $65-4\times(15\div3)+5=50$

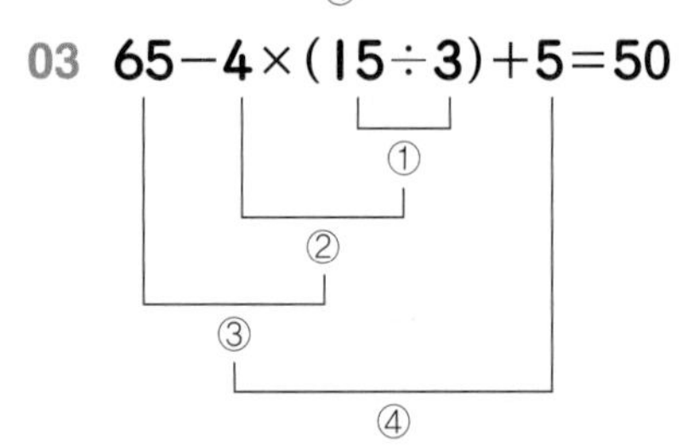

04 $(38-3)\div7+3\times8=29$

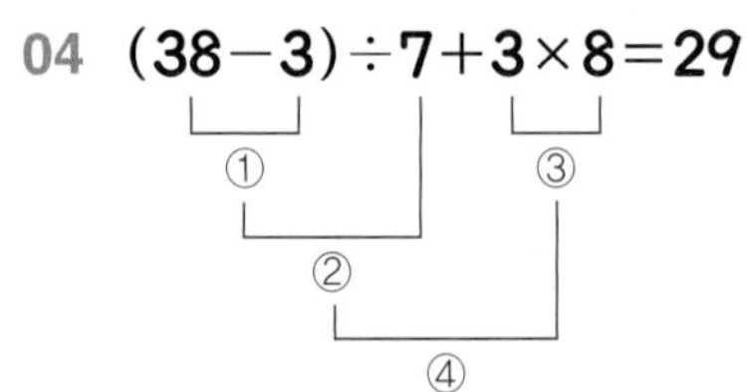

05 44
06 23
07 35
08 24
09 40
10 29
11 15
12 17
13 $16-60\div(5+7)\times2=6$
14 $96\div8+(14-5)\times4=48$
15 12
16 18
17 5
18 9
19 15
20 21
21 예 $10\times(8+6)-4\div2=138$

개념 05 약수와 배수

| 36쪽

01 1, 2, 5, 10
02 (1) 10, 15, 20, 25 (2) 16, 24, 32, 40
03 배수, 약수
04 1, 2, 3, 4, 6, 12

05 1, 2, 4, 8, 16　06 1, 2, 7, 14
07 1, 2, 4, 5, 10, 20　08 4, 8, 12, 16, 20
09 6, 12, 18, 24, 30　10 9, 18, 27, 36, 45
11 10, 20, 30, 40, 50
12 (　) (○) (　)
(○) (　) (○)

사고력 기르기 Step 1 | 38쪽

01 4, 5, 8, 10, 20, 40
02 9, 27　03 6, 8, 12, 24
04 8, 10, 16, 20, 40, 80
05 1, 4, 7　06 0, 2, 4, 6, 8
07 0, 4, 8　08 7
09 7
10 5, 10, 20, 25, 50, 100
11 4, 12, 28, 84
12 6, 12, 24, 30, 60, 120
13 2, <, 7　14 4, >, 2
15 2, <, 2　16 5, >, 4
17 1, <, 6

01 43−3=40은 ♡로 나누어떨어지므로 ♡는 3보다 큰 40의 약수입니다.

05 각 자리의 숫자의 합이 3의 배수가 되도록 합니다.

06 끝의 두 자리 수가 4의 배수가 되도록 합니다.

07 끝의 세 자리 수가 8의 배수가 되도록 합니다.

08 각 자리의 숫자의 합이 9의 배수가 되도록 합니다.

09 건너 뛴 숫자의 합의 차가 0이거나 11의 배수가 되도록 합니다.

9
25♡4 ➡ ♡=7
9

사고력 기르기 Step 2 | 40쪽

01 10, 20, 50, 100　02 6, 12, 42, 84
03 8, 16, 32, 64, 128
04 12, 24, 48, 60, 120, 240
05 1, 3, 5 / 1, 5, 3 / 3, 1, 5 / 3, 5, 1 / 5, 1, 3 / 5, 3, 1
06 1, 0, 8 / 1, 8, 0 / 8, 0, 1 / 8, 1, 0 / 1, 8, 9 / 1, 9, 8 / 8, 1, 9 / 8, 9, 1 / 9, 1, 8 / 9, 8, 1
07 9, 0 / 0, 2 / 1, 3 / 2, 4 / 3, 5 / 4, 6 / 5, 7 / 6, 8 / 7, 9
08 12, 96　09 10, 90
10 14, 84　11 12, 72
12 9, 9, 1

01 ☆은 10의 배수인 동시에 100의 약수이므로 ☆은 10, 20, 50, 100입니다.

06 세 장의 숫자 카드에 쓰인 숫자의 합이 9의 배수인 경우는 [0][1][8], [1][8][9]입니다.

07 3+☆과 ♡+5의 차는 0이거나 11의 배수입니다.

08 ♡가 24의 약수일 때 가장 작은 두 자리 수는 12, ♡가 24의 배수일 때 가장 큰 두 자리 수는 96입니다.

12 각 자리의 숫자의 합이 9의 배수가 되는 수 중 가장 큰 수를 구합니다.

실력 점검 | 42쪽

01 1, 2, 5, 10　02 1, 2, 7, 14
03 1, 2, 3, 6, 9, 18　04 1, 2, 13, 26
05 1, 2, 3, 4, 6, 9, 12, 18, 36
06 1, 2, 3, 6, 7, 14, 21, 42
07 2, 4, 6, 8, 10
08 7, 14, 21, 28, 35
09 11, 22, 33, 44, 55
10 14, 28, 42, 56, 70
11 25, 50, 75, 100, 125
12 30, 60, 90, 120, 150
13 (　) (○) (　)
14 4, 5, 10, 20

15 5, 7, 35　16 4, 12, 36
17 5, 10, 20, 40　18 10, 20, 40, 80
19 3, 6, 12, 15, 30, 60
20 14, 84　21 13, 78

개념 06 공약수와 최대공약수 | 44쪽

01 1, 3, 9 / 9　02 2, 2, 4
03 2, 3, 6　04 1, 2 / 2
05 1, 3 / 3　06 1, 2, 5, 10 / 10
07 1, 2, 3, 6 / 6　08 4
09 9　10 5
11 4　12 6
13 4　14 6
15 25　16 19
17 8

사고력 기르기 Step 1 | 46쪽

01 1, 2, 3, 5, 6, 10, 15, 30
02 1, 2, 3, 6, 7, 14, 21, 42
03 1, 2, 5, 10, 25, 50
04 1, 2, 4, 8, 16, 32, 64
05 8, 3 / 8, 4
06 11, 8 / 11, 6 / 22, 4 / 22, 3
07 15, 10 / 15, 6 / 30, 5 / 30, 3
08 4　09 28
10 15　11 21
12 9, 27, 45, 63, 81, 99
13 11, 22, 44, 55, 77, 88
14 14, 28, 56, 70, 98
15 10, 50, 70　16 24, 48, 96

01 어떤 두 수의 공약수는 두 수의 최대공약수의 약수와 같습니다.

06 ♡는 88과 66의 공약수 1, 2, 11, 22이고 이 중 조건에 맞는 ♡는 11, 22입니다.

사고력 기르기 Step 2 | 48쪽

01 4, 8　02 4, 6, 12
03 6, 9, 18　04 5, 10, 20
05 12　06 5
07 9　08 7
09 15, 25, 35, 45, 55, 65, 75, 85, 95
10 24, 40, 56, 72, 88
11 27, 45, 63, 81, 99
12 14, 28, 35, 49, 56, 70, 77, 91, 98
13 10, 30, 50, 70, 90
14 26, 39, 52, 65, 78, 91
15 15, 45, 75

01 ♡는 59−3=56과 42−2=40의 공약수 1, 2, 4, 8 중 나머지 3보다 큰 4와 8이 되어야 합니다.

05 ♡는 1, 2, 3, 4, 6, 8, 12이므로 두 수의 최대공약수 중 가장 큰 수는 12입니다.

실력 점검 | 50쪽

01 1, 3 / 3　02 1, 2 / 2
03 1, 2, 4 / 4　04 1, 3, 5, 15 / 15
05 2　06 4
07 6　08 3
09 10　10 6
11 9　12 12
13 15　14 18
15 8, 2 / 8, 3　16 15, 5 / 15, 4
17 12　18 24
19 12, 36, 60, 84　20 15, 30, 60, 75
21 5, 15

개념 07 공배수와 최소공배수 | 52쪽

01 24, 48 / 24　02 2, 3, 60
03 2, 3, 3, 5, 90

04 24, 48, 72, …… / 24
05 30, 60, 90, …… / 30
06 36, 72, 108, …… / 36
07 84, 168, 252, …… / 84
08 15
09 8
10 36
11 70
12 48
13 150
14 90
15 78
16 90
17 72

사고력 기르기 Step 1 | 54쪽

01 108, 120, 132, 144, 156, 168, 180, 192
02 108, 126, 144, 162, 180, 198
03 110, 132, 154, 176, 198
04 120, 150, 180
05 24, 48, 72, 96
06 36, 72
07 20, 40, 60, 80
08 32, 64, 96
09 8, 24
10 9, 45
11 27, 54
12 8, 24, 72
13 7, 14, 35, 70
14 3, 6, 33, 66
15 3, 6, 21, 42

05 ♡는 6의 배수인 동시에 8의 배수이어야 하므로 최소공배수를 구한 후 나머지 공배수를 구합니다.

09 24는 ♡의 배수이므로 ♡는 1, 2, 3, 4, 6, 8, 12, 24이고 이 중 조건에 맞는 수는 8과 24입니다.

사고력 기르기 Step 2 | 56쪽

01 45, 87
02 42, 82
03 40, 76
04 28, 53, 78
05 5
06 7
07 60
08 240
09 72
10 360
11 4, 18 / 36, 18 / 4, 36
12 42, 2 / 42, 6 / 3, 42 / 6, 42

01 ♡는 6과 14의 공배수보다 3 큰 수입니다. 6과 14의 최소공배수는 42이므로 조건에 맞는 ♡는 $42+3=45$, $84+3=87$입니다.

05 $2\times3\times3\times7\times\square=630$, $126\times\square=630$, $\square=5$

실력 점검 | 58쪽

01 4, 8, 12, …… / 4
02 30, 60, 90, …… / 30
03 24, 48, 72, …… / 24
04 60, 120, 180, …… / 60
05 9
06 33
07 56
08 80
09 75
10 54
11 36
12 42
13 96
14 84
15 30, 60, 90
16 42, 84
17 3, 6, 12, 24
18 9, 18, 36
19 22, 42, 62, 82
20 27, 51, 75, 99
21 7

개념 08 약분과 통분 | 60쪽

01 5, 5 / $\frac{2}{3}$
02 6, 6 / $\frac{5}{6}$
03 6, 8, 30, 40
04 3, 4, 15, 20
05 $\frac{2}{3}$
06 $\frac{9}{10}$
07 $\frac{3}{4}$
08 $\frac{3}{7}$
09 $\frac{3}{7}$
10 $\frac{4}{5}$
11 $\frac{5}{10}$, $\frac{4}{10}$
12 $\frac{9}{54}$, $\frac{30}{54}$
13 $\frac{12}{15}$, $\frac{10}{15}$
14 $\frac{28}{36}$, $\frac{27}{36}$
15 $\frac{18}{48}$, $\frac{8}{48}$
16 $\frac{56}{96}$, $\frac{36}{96}$
17 $\frac{6}{9}$, $\frac{4}{9}$
18 $\frac{9}{12}$, $\frac{10}{12}$

19 $\frac{9}{24}$, $\frac{22}{24}$　　20 $\frac{21}{30}$, $\frac{14}{30}$
21 $\frac{21}{54}$, $\frac{6}{54}$　　22 $\frac{33}{72}$, $\frac{10}{72}$

사고력 기르기 Step 1 | 62쪽

01 12, 28　　02 16, 20
03 15, 27　　04 25, 30
05 15, 40　　06 32, 44
07 $\frac{5}{8}$, $\frac{7}{12}$ / $\frac{5}{8}$　　08 $\frac{11}{20}$, $\frac{11}{18}$ / $\frac{11}{18}$
09 1, 2, 3　　10 1, 2, 3, 4, 5
11 1, 2, 3, 4, 5　　12 1, 2, 3, 4, 5, 6
13 40, 96　　14 42, 90
15 110, 210　　16 36, 81

01 $\frac{3}{7}=\frac{6}{14}=\frac{9}{21}=\frac{12}{28}$ ······이므로
☆=12, ♡=28입니다.

별해
$\frac{3}{7}$에서 $3+7=10$이고 $40\div10=4$이므로 분모와 분자에 4를 곱하여 구합니다.
$\frac{3\times4}{7\times4}=\frac{12}{28}$

13 $\frac{△}{♡}$를 △와 ♡의 최대공약수로 나눈 값이 $\frac{5}{12}$이므로 △$=5\times8=40$, ♡$=12\times8=96$입니다.

사고력 기르기 Step 2 | 64쪽

01 3, 22　　02 8, 37
03 25, 40　　04 42, 61
05 26, 56　　06 82, 120
07 52, 60　　08 153, 240
09 7, 8, 9, 10　　10 7, 8
11 13, 14
12 19, 20, 21, 22, 23
13 $<$　　14 $>$
15 $<$　　16 $>$
17 $<$　　18 $>$

01 $\frac{☆}{♡-7}=\frac{1\times3}{5\times3}=\frac{3}{15}$이므로
☆=3, ♡=15+7=22입니다.

09 분자를 같게 만들어 크기를 비교합니다.
$\frac{30}{54}<\frac{30}{\square\times5}<\frac{30}{30}$
따라서 □ 안에는 7, 8, 9, 10을 넣을 수 있습니다.

13 분모와 분자의 차는 132로 같습니다.

15 두 분수의 분모와 분자의 차가 40으로 같아지도록 만든 후 비교합니다.
$\frac{229}{249}=\frac{229\times2}{249\times2}=\frac{458}{498}$

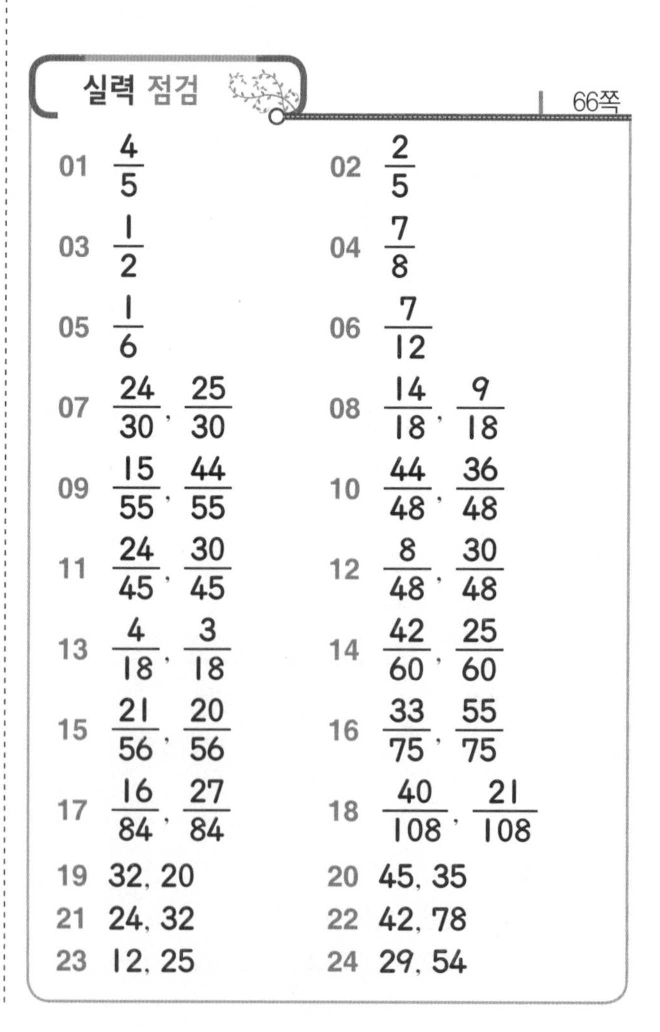

실력 점검 | 66쪽

01 $\frac{4}{5}$　　02 $\frac{2}{5}$
03 $\frac{1}{2}$　　04 $\frac{7}{8}$
05 $\frac{1}{6}$　　06 $\frac{7}{12}$
07 $\frac{24}{30}$, $\frac{25}{30}$　　08 $\frac{14}{18}$, $\frac{9}{18}$
09 $\frac{15}{55}$, $\frac{44}{55}$　　10 $\frac{44}{48}$, $\frac{36}{48}$
11 $\frac{24}{45}$, $\frac{30}{45}$　　12 $\frac{8}{48}$, $\frac{30}{48}$
13 $\frac{4}{18}$, $\frac{3}{18}$　　14 $\frac{42}{60}$, $\frac{25}{60}$
15 $\frac{21}{56}$, $\frac{20}{56}$　　16 $\frac{33}{75}$, $\frac{55}{75}$
17 $\frac{16}{84}$, $\frac{27}{84}$　　18 $\frac{40}{108}$, $\frac{21}{108}$
19 32, 20　　20 45, 35
21 24, 32　　22 42, 78
23 12, 25　　24 29, 54

개념 09 받아올림이 없는 진분수의 덧셈 | 68쪽

01 3, 2, 5　02 8, 3, 11
03 4, 5, 9
04 8, 6, 8, 30, 38, 19
05 4, 2, 4, 2, 6, 3　06 2, 4, 7
07 5, 2, 5, 14, 19　08 $\frac{11}{18}$
09 $\frac{11}{24}$　10 $\frac{19}{20}$
11 $\frac{19}{36}$　12 $\frac{23}{24}$
13 $\frac{8}{9}$　14 $\frac{31}{40}$
15 $\frac{31}{36}$　16 $\frac{19}{28}$
17 $\frac{37}{60}$

사고력 기르기 Step 1 | 70쪽

01 3　02 2
03 5　04 12
05 24　06 18
07 8, 9　08 38, 39
09 108, 109, 110, 111
10 204, 205, 206, 207, 208, 209
11 68, 69, 70, 71
12 143, 144, 145, 146
13 $\frac{5}{9}$　14 $\frac{2}{5}$
15 4, 1 / 4, 2 / 3, 1 / 3, 2
3, 3 / 2, 1 / 2, 2 / 1, 1
16 5, 1 / 4, 1 / 4, 2 / 3, 1
3, 2 / 3, 3 / 2, 1 / 2, 2
1, 1

01 $\frac{1}{6}+\frac{□}{8}=\frac{4}{24}+\frac{□\times3}{24}=\frac{13}{24}$, □=3

13 ♡$+\frac{7}{18}=\frac{1}{9}+\frac{5}{6}$입니다.

15 ♡는 5보다 작은 자연수임에 착안하여 문제를 해결합니다.

사고력 기르기 Step 2 | 72쪽

01 8　02 18
03 17　04 94
05 $\frac{26}{35}$　06 $\frac{17}{27}$
07 $\frac{33}{70}$　08 $\frac{17}{36}$
09 1, 9 / 2, 7 / 3, 5 / 4, 3 / 5, 1
10 4, 22 / 8, 13
11 6, 33 / 9, 23 / 12, 18 / 18, 13 / 36, 8
12 9, 72　13 21, 420

01 $\frac{3}{14}+\frac{8}{21}=\frac{25}{42}$, $\frac{25}{42}<\frac{25}{♡\times5}$에서 ♡=8입니다.

10 두 분수의 공통분모가 24이므로 ♡는 24의 약수 중 3보다 큰 수이며 이 중 조건을 만족하는 수는 4, 8입니다.

12 $\frac{1}{가}=\frac{1}{(가+1)}+\frac{1}{가\times(가+1)}$입니다.

실력 점검 | 74쪽

01 9, 7, 16　02 32, 5, 37
03 6, 1, 7　04 10, 9, 19
05 $\frac{7}{10}$　06 $\frac{31}{35}$
07 $\frac{19}{30}$　08 $\frac{7}{18}$
09 $\frac{23}{24}$　10 $\frac{9}{10}$
11 $\frac{23}{36}$　12 $\frac{17}{18}$
13 $\frac{43}{60}$　14 $\frac{41}{48}$

15 1　　16 2
17 8　　18 5
19 $\frac{2}{5}$　　20 83
21 8
22 1, 11 / 2, 8 / 3, 5 / 4, 2

10 받아올림이 있는 진분수의 덧셈, 가분수의 덧셈 | 76쪽

01 10, 12, 22, 1, 7
02 9, 8, 17, 5
03 21, 20, 41, 1, 17
04 36, 25, 61, 1, 16
05 24, 49, 73, 3, 10
06 27, 14, 41, 3, 5
07 $1\frac{1}{6}$　　08 $2\frac{7}{72}$
09 $1\frac{1}{36}$　　10 $2\frac{3}{10}$
11 $1\frac{4}{15}$　　12 $5\frac{1}{6}$
13 $1\frac{2}{9}$　　14 $2\frac{7}{36}$
15 $1\frac{13}{90}$　　16 $1\frac{23}{24}$

사고력 기르기 Step 1 | 78쪽

01 7　　02 5
03 7　　04 8
05 10　　06 12
07 15개　　08 6개
09 8개　　10 5개
11 14개　　12 21개
13 $\frac{2}{3}$, $1\frac{5}{6}$　　14 $\frac{3}{5}$, $1\frac{13}{15}$
15 $\frac{1}{12}$, $\frac{5}{6}$　　16 $\frac{2}{9}$, $\frac{61}{72}$
17 $\frac{3}{10}$, $1\frac{7}{30}$　　18 $\frac{5}{12}$, $1\frac{23}{36}$
19 $\frac{5}{9}$, $\frac{5}{6}$　　20 $\frac{11}{18}$, $\frac{25}{42}$

사고력 기르기 Step 2 | 80쪽

01 2, 1 / 3, 1 / 4, 1 / 5, 1 / 3, 2 / 4, 2 / 5, 2 / 4, 3
02 6, 1 / 7, 1 / 8, 1 / 5, 2 / 6, 2 / 7, 2 / 5, 3 / 6, 3 / 7, 3 / 5, 4 / 6, 4
03 149　　04 95
05 83　　06 215
07 2, 3, 4　　08 1, 3, 5
09 1, 4, 7

01 $\frac{\heartsuit}{2}+\frac{\star}{6}=\frac{\heartsuit\times3}{6}+\frac{\star}{6}=\frac{\heartsuit\times3+\star}{6}$이므로 $6<\heartsuit\times3+\star<18$입니다.
$\star$이 1, 2, 3일 때의 $\heartsuit$의 값을 찾습니다.

03 $\frac{8}{15}+\frac{16}{25}=1\frac{13}{75}$이므로 $1\frac{13}{75}<1\frac{26}{\heartsuit}$에서
분자를 26으로 통일하면 $1\frac{26}{150}<1\frac{26}{\heartsuit}$입니다.
따라서 $\heartsuit$가 될 수 있는 수 중 가장 큰 수는 149입니다.

07 $\frac{\heartsuit\times20}{60}+\frac{\star\times15}{60}+\frac{\triangle\times12}{60}=2\frac{13}{60}=\frac{133}{60}$
에서 $\heartsuit\times20+\star\times15+\triangle\times12=133$입니다.
$\heartsuit$는 1 또는 2이고 $\heartsuit$가 2일 때 $\star$은 3, $\triangle$는 4로 조건에 맞습니다.

실력 점검 | 82쪽

01 12, 10, 22, 1, 7　　02 10, 9, 19, 1, 7
03 16, 5, 21, 2, 1　　04 27, 28, 55, 2, 7
05 $1\frac{5}{8}$　　06 $1\frac{17}{21}$
07 $1\frac{4}{9}$　　08 $2\frac{5}{24}$
09 $1\frac{29}{60}$　　10 $3\frac{1}{6}$

11 $1\frac{17}{30}$
12 $2\frac{5}{6}$
13 $1\frac{49}{90}$
14 $2\frac{13}{24}$
15 7
16 3
17 8
18 13
19 $1\frac{7}{15}$
20 $\frac{2}{3}$, $\frac{3}{4}$
21 2, 1 / 3, 1 / 4, 1 / 5, 1 / 3, 2 / 4, 2

개념 11 받아올림이 없는 대분수의 덧셈

| 84쪽

01 2, 4, 3, 2, 7, 2, 7
02 2, 4, 5, 2, 9, 2, 9
03 2, 6, 3, 3, 9, 3, 9
04 1, 9, 2, 2, 11, 2, 11
05 11, 3, 22, 15, 37, 3, 7
06 11, 20, 33, 20, 53, 5, 8
07 $5\frac{11}{30}$
08 $4\frac{5}{8}$
09 $4\frac{17}{18}$
10 $5\frac{19}{28}$
11 $3\frac{23}{36}$
12 $3\frac{17}{36}$
13 $4\frac{37}{40}$
14 $3\frac{19}{24}$
15 $8\frac{5}{12}$
16 $7\frac{2}{3}$

사고력 기르기 Step 1

| 86쪽

01 3
02 5
03 4
04 3
05 10
06 7
07 35
08 45
09 4
10 5
11 7
12 7
13 3, 1
14 4, 1
15 3, 3
16 2, 3

17 $9\frac{1}{2}$, $1\frac{2}{9}$, $10\frac{13}{18}$
18 $8\frac{3}{5}$, $1\frac{3}{8}$, $9\frac{39}{40}$
19 $8\frac{3}{7}$, $1\frac{3}{8}$, $9\frac{45}{56}$

01 $2\frac{1}{4}+3\frac{\square}{5}=2\frac{5}{20}+3\frac{\square\times4}{20}=5\frac{17}{20}$에서 $5+\square\times4=17$이므로 $\square=3$입니다.

09 $2\frac{♥\times5}{45}+3\frac{6}{45}<5\frac{30}{45}$에서 $♥\times5+6<30$이므로 ♥가 될 수 있는 자연수 중 가장 큰 수는 4입니다.

13 $1\frac{♥\times4}{20}+2\frac{☆\times5}{20}=3\frac{17}{20}$에서 $♥\times4+☆\times5=17$이고 ♥=3, ☆=1일 때 식이 성립합니다.

사고력 기르기 Step 2

| 88쪽

01 1, 3, 7 / 3, 1, 5 / 5, 1, 7
02 1, 5, 19 / 1, 7, 25 / 2, 1, 11 / 2, 5, 23 / 2, 7, 29 / 4, 1, 19 / 4, 5, 31 / 5, 1, 23 / 7, 1, 31 / 8, 1, 35
03 3, 11
04 16, 17
05 27, 29
06 8, 31
07 9, 29
08 75, 43
09 64, 33
10 9, 49
11 12, 83
12 33, 31

03 두 대분수의 공통분모가 12이므로 ♥는 12의 약수 중에서 찾습니다. 이때 ♥=3, ☆=11입니다.

실력 점검

| 90쪽

01 1, 5, 9, 3, 14, 3, 14
02 2, 8, 7, 5, 15, 5, 15
03 9, 17, 27, 68, 95, 3, 23
04 5, 10, 15, 10, 25, 2, 7

05 $5\frac{9}{20}$ 06 $7\frac{7}{8}$
07 $5\frac{13}{14}$ 08 $4\frac{2}{3}$
09 $5\frac{7}{10}$ 10 $5\frac{19}{28}$
11 $7\frac{7}{18}$ 12 $5\frac{29}{42}$
13 $6\frac{11}{18}$ 14 $6\frac{37}{84}$
15 1 16 2
17 3 18 2
19 $7\frac{1}{2}$, $1\frac{2}{7}$, $8\frac{11}{14}$ 20 $8\frac{3}{6}$, $1\frac{3}{8}$, $9\frac{7}{8}$
21 1, 3, 17 / 1, 7, 33 / 3, 1, 19 / 5, 1, 29 / 5, 3, 37 / 7, 1, 39

개념 12 받아올림이 있는 대분수의 덧셈 | 92쪽

01 2, 3, 4, 2, 1, 1, 3, 1 / 3, 5, 9, 10, 19, 3, 1
02 2, 4, 9, 2, 1, 1, 3, 1 / 4, 7, 16, 21, 37, 3, 1
03 8, 3, 3, 1, 1, 4, 1
04 3, 8, 3, 1, 2, 4, 2
05 5, 11, 20, 33, 53, 4, 5
06 13, 26, 39, 52, 91, 5, 1
07 $5\frac{7}{12}$ 08 $4\frac{2}{9}$
09 $4\frac{11}{24}$ 10 $6\frac{7}{20}$
11 $6\frac{5}{21}$ 12 $6\frac{5}{24}$
13 $5\frac{3}{20}$ 14 $6\frac{2}{15}$
15 $8\frac{17}{24}$ 16 $8\frac{9}{20}$

사고력 기르기 Step 1 | 94쪽

01 7 02 5
03 11 04 13
05 7 06 14
07 15 08 23
09 3 10 11
11 9 12 20
13 5, 4 14 7, 9
15 5, 3 16 7, 11
17 예 $6\frac{3}{4}$, $5\frac{1}{2}$, $12\frac{1}{4}$ / $6\frac{1}{2}$, $5\frac{3}{4}$, $12\frac{1}{4}$
18 예 $9\frac{5}{6}$, $7\frac{2}{3}$, $17\frac{1}{2}$ / $9\frac{2}{3}$, $7\frac{5}{6}$, $17\frac{1}{2}$

01 $3\frac{6}{10}+2\frac{\square}{10}=5\frac{13}{10}$에서 $6+\square=13$이므로 $\square=7$입니다.

09 $2\frac{♡}{8}+3\frac{6}{8}>5\frac{8}{8}$에서 $♡+6>8$이므로 ♡가 될 수 있는 자연수 중 가장 작은 수는 3입니다.

13 $1\frac{♡\times3}{18}+2\frac{☆\times2}{18}=3\frac{23}{18}$에서 $♡\times3+☆\times2=23$입니다. ♡는 1 또는 5이고 이 중 ♡=5일 때 ☆=4를 만족합니다.

사고력 기르기 Step 2 | 96쪽

01 5, 21 / 6, 19 / 7, 17 / 8, 15 / 9, 13
02 7, 11 / 9, 8 03 2, 8 / 7, 5
04 5, 33 / 13, 23 / 17, 18 / 25, 8
05 4, 1 06 2, 1
07 3, 1 08 5, 7
09 8, 1 10 5, 3
11 7, 23

05 $2\frac{♡}{9}+5\frac{6}{9}=7\frac{☆+9}{9}$에서 $♡+6=☆+9$입니다.
♡=4, 5, 7, 8일 때 ☆=1, 2, 4, 5이므로 가장 작은 ♡는 4이고 이때의 ☆은 1입니다.

실력 점검 | 98쪽

01 8, 9, 3, 1, 5, 4, 5
02 28, 15, 3, 1, 8, 4, 8
03 11, 9, 22, 27, 49, 4, 1
04 11, 17, 33, 68, 101, 4, 5

05 $4\frac{7}{12}$ 06 $6\frac{19}{56}$
07 $6\frac{1}{2}$ 08 $6\frac{1}{18}$
09 $9\frac{1}{20}$ 10 $6\frac{1}{18}$
11 $4\frac{47}{84}$ 12 $5\frac{14}{45}$
13 $4\frac{23}{54}$ 14 $4\frac{51}{60}$
15 3 16 3
17 5 18 13
19 예 $9\frac{3}{5}$, $7\frac{1}{2}$, $17\frac{1}{10}$ / $9\frac{1}{2}$, $7\frac{3}{5}$, $17\frac{1}{10}$
20 예 $9\frac{5}{7}$, $8\frac{2}{3}$, $18\frac{8}{21}$ / $9\frac{2}{3}$, $8\frac{5}{7}$, $18\frac{8}{21}$
21 1, 15 / 3, 11 / 5, 7 / 7, 3

개념 13 진분수의 뺄셈 | 100쪽

01 4, 3 / 4, 3, 1
02 9, 2 / 9, 2, 7 / 18, 4 / 18, 4, 14, 7
03 9, 5, 4 04 32, 27, 5
05 21, 20, 1 06 14, 9, 5
07 $\frac{17}{30}$ 08 $\frac{11}{24}$
09 $\frac{1}{9}$ 10 $\frac{1}{20}$
11 $\frac{4}{45}$ 12 $\frac{19}{40}$
13 $\frac{1}{28}$ 14 $\frac{1}{15}$
15 $\frac{13}{30}$ 16 $\frac{7}{24}$

사고력 기르기 Step 1 | 102쪽

01 3 02 7
03 7 04 11
05 9 06 7
07 20 08 12
09 16 10 5
11 15 12 30
13 5 14 7
15 9 16 11
17 11 18 19
19 3, 1, $\frac{11}{20}$ / 1, 1, $\frac{1}{20}$
20 19, 1, $\frac{11}{12}$ / 1, 1, $\frac{1}{60}$
21 8, 1, $\frac{13}{18}$ / 2, 1, $\frac{1}{18}$

01 $\frac{6}{10}-\frac{\square}{10}=\frac{3}{10}$에서 $\square=3$입니다.

07 $\frac{70}{180}-\frac{43}{180}=\frac{3}{♥}=\frac{27}{180}$에서 ♥=20입니다.

13 $\frac{4}{5}-\frac{☆}{8}=\frac{32}{40}-\frac{☆\times5}{40}$에서 $32-☆\times5>0$ 이므로 조건에 맞는 ☆은 5입니다.

사고력 기르기 Step 2 | 104쪽

01 4 02 8
03 54 04 97
05 7 06 5
07 11 08 19
09 $\frac{2}{15}$ 10 8, 9
11 9, 10 12 15, 16
13 30, 31 14 4, 5
15 7, 8 16 10, 11
17 13, 14 18 11, 12
19 16, 17 20 9, 10
21 22, 23

01 $\frac{7}{15}-\frac{3}{20}=\frac{19}{60}$, $\frac{19}{60}>\frac{19}{♥\times19}$에서 ♥=4입니다.

05 $\frac{♥\times4}{36}-\frac{♥\times3}{36}=\frac{7}{36}$에서 ♥=7입니다.

09 $\frac{2}{3}☆\frac{5}{8}=\frac{2}{5}-\frac{3}{8}=\frac{1}{40}$,

$\frac{1}{40}☆\frac{3}{200}=\frac{1}{3}-\frac{40}{200}=\frac{1}{3}-\frac{1}{5}=\frac{2}{15}$

실력 점검 | 106쪽

01 3, 2, 1
02 35, 24, 11
03 27, 16, 11
04 33, 16, 17
05 $\frac{1}{12}$
06 $\frac{31}{84}$
07 $\frac{1}{18}$
08 $\frac{7}{26}$
09 $\frac{19}{50}$
10 $\frac{11}{36}$
11 $\frac{7}{30}$
12 $\frac{26}{45}$
13 $\frac{19}{48}$
14 $\frac{11}{28}$
15 3
16 5
17 11
18 13
19 4, 1, $\frac{19}{30}$ / 1, 1, $\frac{1}{30}$
20 4
21 7
22 7, 8
23 12, 13

개념 14 받아내림이 없는 대분수의 뺄셈 | 108쪽

01 3, 1, 2, 1, 2, 1, 1 / 17, 3, 34, 18, 16, 1, 4, 1, 1
02 2, 2, 1, 2, 1 / 15, 3, 15, 6, 9, 2, 1
03 6, 3, 1, 3, 1
04 12, 5, 1, 7, 1, 7
05 11, 3, 11, 6, 5, 1, 1
06 27, 6, 27, 12, 15, 1, 5, 1, 1
07 $2\frac{2}{15}$
08 $2\frac{3}{8}$
09 $2\frac{13}{45}$
10 $2\frac{11}{20}$
11 $2\frac{5}{14}$
12 $2\frac{4}{15}$
13 $4\frac{1}{20}$
14 $1\frac{1}{12}$
15 $1\frac{7}{15}$
16 $2\frac{11}{40}$

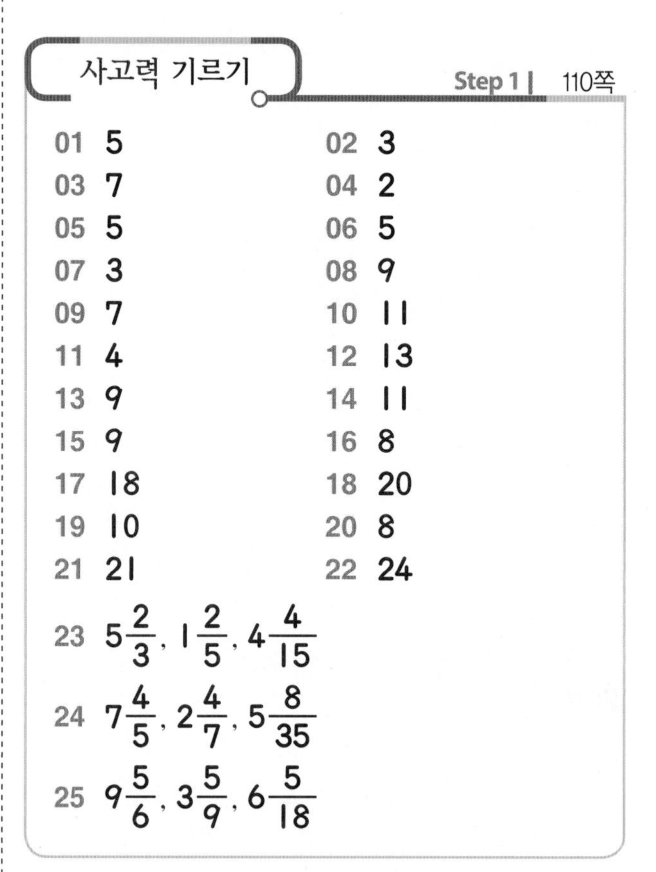

사고력 기르기 Step 1 | 110쪽

01 5
02 3
03 7
04 2
05 5
06 5
07 3
08 9
09 7
10 11
11 4
12 13
13 9
14 11
15 9
16 8
17 18
18 20
19 10
20 8
21 21
22 24
23 $5\frac{2}{3}$, $1\frac{2}{5}$, $4\frac{4}{15}$
24 $7\frac{4}{5}$, $2\frac{4}{7}$, $5\frac{8}{35}$
25 $9\frac{5}{6}$, $3\frac{5}{9}$, $6\frac{5}{18}$

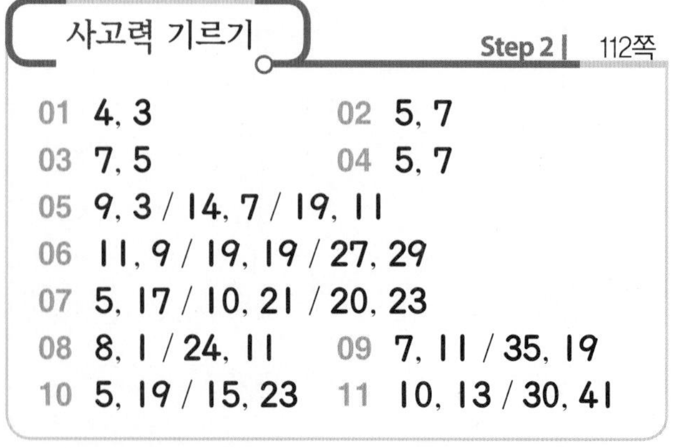

사고력 기르기 Step 2 | 112쪽

01 4, 3
02 5, 7
03 7, 5
04 5, 7
05 9, 3 / 14, 7 / 19, 11
06 11, 9 / 19, 19 / 27, 29
07 5, 17 / 10, 21 / 20, 23
08 8, 1 / 24, 11
09 7, 11 / 35, 19
10 5, 19 / 15, 23
11 10, 13 / 30, 41

01 $5\frac{♥\times4}{20}-2\frac{☆\times5}{20}=3\frac{1}{20}$에서
♥×4−☆×5=1이고 ♥=4, ☆=3일 때 식이 성립합니다.

07 대분수의 공통분모가 40이므로 ♥는 40의 약수 중에서 찾습니다. 이때 조건을 만족하는 ♥는 5, 10, 20입니다.

실력 점검 | 114쪽

01 12, 5, 2, 7, 2, 7
02 21, 20, 2, 1, 2, 1
03 8, 3, 16, 9, 7, 1, 1
04 18, 5, 72, 25, 47, 2, 7
05 $4\frac{11}{20}$
06 $2\frac{29}{72}$
07 $1\frac{4}{21}$
08 $2\frac{3}{20}$
09 $2\frac{3}{10}$
10 $4\frac{1}{2}$
11 $3\frac{7}{24}$
12 $2\frac{25}{54}$
13 $3\frac{1}{10}$
14 $3\frac{17}{75}$
15 3
16 5
17 7
18 4
19 $7\frac{3}{5}$, $1\frac{3}{7}$, $6\frac{6}{35}$
20 $9\frac{5}{8}$, $2\frac{5}{9}$, $7\frac{5}{72}$
21 5, 4
22 5, 4
23 2, 1 / 5, 5 / 8, 9

개념 15 받아내림이 있는 대분수의 뺄셈 | 116쪽

01 2, 5, 2, 5, 2, 3 / 9, 3, 9, 6, 3
02 4, 7, 4, 1, 3, 1, 3, 1, 1 / 19, 5, 19, 10, 9, 1, 3, 1, 1
03 5, 6, 15, 6, 1, 9
04 2, 10, 5, 1, 5
05 16, 4, 48, 20, 28, 1, 13
06 9, 19, 45, 38, 7
07 $1\frac{13}{24}$
08 $5\frac{23}{40}$
09 $2\frac{23}{24}$
10 $3\frac{11}{20}$
11 $4\frac{24}{35}$
12 $2\frac{13}{18}$
13 $3\frac{13}{15}$
14 $3\frac{5}{24}$
15 $2\frac{46}{63}$
16 $2\frac{23}{36}$

사고력 기르기 Step 1 | 118쪽

01 3
02 5
03 7
04 9
05 2
06 5
07 17
08 11
09 13
10 19
11 6
12 5
13 1, 2, 3
14 1, 3, 5
15 1, 5
16 1, 2, 4, 7, 8
17 1, 2, 4, 5
18 1, 3, 7, 9, 11, 13
19 1, 5, 7
20 1, 3, 5
21 1, 2, 3, 4
22 1, 3, 5, 7, 9, 11
23 11, 13, 17
24 7, 11, 13, 17, 19, 23

사고력 기르기 Step 2 | 120쪽

01 3, 6
02 2, 7
03 5, 11
04 5, 17
05 3, 7
06 5, 19
07 4, 13
08 $6\frac{1}{4}$, $5\frac{2}{3}$ / $6\frac{1}{2}$, $5\frac{3}{4}$
$5\frac{1}{6}$, $4\frac{2}{3}$ / $4\frac{1}{6}$, $3\frac{2}{5}$

$4\frac{1}{2}$, $3\frac{5}{6}$ / $3\frac{1}{6}$, $2\frac{4}{5}$

$3\frac{1}{4}$, $2\frac{5}{6}$ / $2\frac{3}{4}$, $1\frac{5}{6}$

09 $9\frac{3}{7}$, $8\frac{5}{6}$ / $9\frac{3}{5}$, $8\frac{6}{7}$

$7\frac{3}{8}$, $6\frac{5}{9}$ / $7\frac{3}{5}$, $6\frac{8}{9}$

$6\frac{3}{8}$, $5\frac{7}{9}$ / $6\frac{3}{7}$, $5\frac{8}{9}$

01 $8\frac{♥}{8}=7\frac{8+♥}{8}$이므로

$(8+♥)\times7-☆\times8=29$입니다. ♥는 1, 3, 5, 7 중의 하나이고 ♥가 3일 때 ☆은 6으로 조건에 맞습니다.

실력 점검

122쪽

01 5, 12, 35, 12, 1, 23

02 9, 20, 33, 20, 1, 13

03 11, 5, 33, 25, 8

04 13, 17, 65, 34, 31, 1, 11

05 $\frac{19}{20}$

06 $1\frac{11}{12}$

07 $2\frac{23}{63}$

08 $5\frac{31}{40}$

09 $\frac{7}{20}$

10 $1\frac{9}{20}$

11 $2\frac{17}{24}$

12 $1\frac{17}{18}$

13 $1\frac{17}{36}$

14 $2\frac{35}{54}$

15 2

16 4

17 9

18 5

19 1, 3

20 1, 3, 5

21 1, 2, 4

22 1, 5, 7

23 7, 5

24 5, 7

Memo

Memo